映画を観ているみたいに小説が読める

超簡単！イメージ読書術

山崎茂雄

みらいPUBLISHING

まえがき

なぜ私たちは小説を読むのか

この本は、〝どうしたらもっと深く、楽しく小説が読めるか〟をテーマにしています。そのために私が開発した方法論「カットイメージ・リーディング」を、実際に体験していただく本です。

それにしても、なぜ私たちは小説を読むのでしょうか。

小説を読まない人も、なぜテレビドラマや映画を観たり、マンガを読んだりするのでしょう。なぜ私たちは物語を求めるのでしょうか。

私たちは幼いころからアニメや絵本が大好きです。また世界各地の民族は、古代から神話や民話など多くの物語を語り伝えてきました。この欲求は、人間の本能的なもののようです。

私たち人間は、大脳皮質が高度に発達することで、想像力を獲得しました。想像力こそ、私たちが物語を求める源泉です。想像力は、使えば使うほど楽しい。おそらく、脳の快感物質が分泌されるのでしょう。私たちは想像力を使いたくてしかたがないのです。だから人間は、想像力を使って多くの物語を生み出してきたし、求めてきたのではないでしょうか。

物語を求める欲求には、別の面もあります。私のセミナーのある受講生が、こう言っていました。

「カットイメージで小説を読むと、別の人生が体験できて、なんだか得した気分」と。

小説の中に我を忘れて没頭すると、日常とは違う世界を体験できる。現実の自分とは別の人生を生きることができる。だから「得した気分」だと、彼女は言ったのです。

今の人生が恵まれているかいないか、今の人生に満足しているかいないか、それには関係なく、私たちは自分の人生を一回きりしか生きることができません。

そのことはかけがえなく尊いことである一方で、それゆえに、私たちは、どこか満たされない思いをいつも感じているのではないでしょうか。

それは年齢とも関係ありません。歳を重ねたら重ねたなり、若いなら若いなり、一回きりの人生を私たちは精いっぱい生きつつ、一方で、別の人生にちょっと浮気をして「なんだか得した気分」を味わいたいという思いがあるのです。

私たちはこの一回きりの人生から逃げることはできません。それならば、ひとときでも想像力を自由に遊ばせて別の人生を体験してみたい。それが、私たちが物語を求めるもう一つの理由ではないでしょうか。

それは決して現実逃避ではありません。「心の休暇」と言っていいかもしれません。職場を離れてバカンスを楽しみ、自分をリセットしてまた元気に職場に戻る。それと同じように、物語の世界に我を忘れることは、また現実に戻って自分の人生をしっかりと生きていくために、必要な時間なのです。

それならば、どうしたら小説の世界にもっと深く没入して、未知の体験を味わい、別の時間を過ごすことができるでしょうか。その具体的な答えが、「カットイメージ・リーディング」なのです。

あなたの大好きな作家の小説、あなたがずっと読みたかった小説、そしてまだ出会っていない素晴らしい小説たちを、〝映画を観ているみたいに〟読むことのできる世界へと、あなたをご招待しましょう。

映画を観ているみたいに小説が読める

超簡単！イメージ読書術

目次

下に記したのは、文中で触れている作品名です。

藤子不二雄F『ドラえもん』

第4章

カットイメージで、小説を読む楽しさを再発見する

内海隆一郎『街の眺め』

第7章 カットイメージのトレーニングを続けよう

第8章 カットイメージが開く豊かな読書の世界……225

第1章

カットイメージ・リーディングの世界へようこそ

Chapter 1

映画を観ているみたいに小説を読むには

1 「観てから読むか、読んでから観るか」

昔、「観てから読むか、読んでから観るか」というキャッチコピーが流行ったことがありました。

映画と原作小説、どちらから先に観るか読むか、という二者択一です。今でいう「メディアミックス」のはしりともいうべきビジネスですが、本が売れれば映画がヒットし、映画がヒットすれば本が売れるという相乗効果で、出版社兼映画会社はしっかり儲かるしくみです。

では読者の立場から考えると、どちらがいいでしょうか。

「観てから読む」と映画の印象が強すぎて、小説を自由に読む楽しさが損なわれるような気がします。

逆に「読んでから観る」で、小説を読んで自分なりのイメージをつくり上げてから映画を観ると、違いが気になり楽しめない、ということもあるでしょう。

いずれにしてもよくないので、読んだ小説の映画化は観ない、映画を観たら原作小説は読まない、と決めている人もいるそうです。

でも、**あまり小説を読み慣れておらず、なかなかイメージの世界に入れない、という人にとっては、映画を先に観てそのイメージの助けを借りると、楽しく読めるというのはある**と思います。

ただその場合、ストーリーを知っているので、「次はどうなるのだろう」とワクワクして小説を読み進める体験とは、だいぶ違ってしまうのではないでしょうか。

2

映画を観ているみたいに小説を読む方法（ワンポイント）

そこで私がお勧めしたいのは、**映画の予告編を観てから、原作小説を読む**、という方法です。

昔は、予告編は映画館かテレビＣＭでしか観られませんでしたが、今では、YouTubeや動画配信サイトで自由に観ることができます。

予告編を観ると、舞台となる風景や登場人物を実際の映像で観ることができるので、原作小説を読むときに、イメージを生き生きと描く手がかりになります。

それでいて、予告編ではストーリーの詳細や結末自体はわからないので、物語への期待と読み進めるワクワク感も高まります。

私はこの方法を使って**宮下奈都さんの『羊と鋼の森』**（文春文庫）を読みました。映画では、主人公の繊細な青年調律師を山﨑賢人さん、ピアニストを目指す姉妹を上白石萌音さん、萌歌さん姉妹が演じています。

私自身も好きな俳優さんたちなので、そのイメージを描いて読み始めました。結果としてスムーズに読み始めることができましたが、読み進み、人物の行動や内面を理解するにつれて、顔かたちも自然に変化し、自分なりのキャラクターができていった感じがします。

つまり、イチからイメージをつくり出すよりも、**映画の予告編（あるいは、帯に印刷された映画の写真でも）を観ておくと、その記憶像を手がかりに、イメージの世界に入っていきやすくなります。**

そして、読み進めるにつれてイメージの世界は変化・発展し、豊かになっていきます。

それは、「小説を読む」という体験に没入し、理解が深まっていった結果なのです。

3 イメージする脳を活性化する「呼び水」

百田尚樹さんの『海賊と呼ばれた男』（上下・講談社文庫）は、出光興産の創業者出光佐三氏をモデルにした小説ですが、これも映画の予告編を見て、岡田准一さんをイメージしながら読み始めました。

しかし、最初の章で主人公は50代なので、岡田さんでは若すぎて（あるいはイケメンすぎて）しっくりこないと感じました。

そこで、もっと年配で強面の男性に頭の中で配役変更してみたところ、違和感なく読み進めることができ、物語世界が展開するにつれて人物像も生き生きとしていきました。

この場合は、映画の配役がしっくりこないと感じること自体が、心の中でイメージをつくりながら読んでいることの確かな証拠です。そして、俳優を換えるならどんな人物がいいかと考え、心の中を探った結果、イメージがより鮮やかになっていったのです。

つまり、**小説を読む前に映画の予告編を観ておくことは、イメージの「呼び水」のようなもの**です。

井戸を掘ってポンプをつけても、最初はパイプの中に空気が入っているので、うまく汲み出すことができません。そこで、「呼び水」として少量の水を入れてやると、あとはポンプの力でどんどん井戸水を汲み上げることができます。「呼び水」が仮に水道水であっても、続いて出てくるのは、正真正銘の地下水です。

小説を読んでイメージを描く脳の働きもそうで、映画の映像的な記憶があれば、それを手がかりにイメージする機能が働き出し、物語の世界にスムーズに入っていけるのです。

ただ、映画自体を観てしまうと、場面場面で映画の記憶と小説との違いが気になり、物語への没入が妨げられる怖れがあります。しかし、**予告編だけならばその縛りがないので、自由にイメージを発展させ、小説の世界を楽しむことができる**のです。

映画の予告編を観て、原作小説を読む。

よかったら、試してみてください。

4 映画と小説の違いとは

さて、冒頭からいきなり「映画を観ているみたいに小説を読む」ための具体的なヒントをお伝えしましたが、同時に、**映画と小説の違い、小説ならではの「読む楽しさ」**についても少しわかっていただけたでしょうか。

小説は、文字で書かれた文章に過ぎませんが、その中には、作家が苦心してつくり上げた物語の世界が眠っています。

読者は文章を読み解きながら、イメージの力を使って、物語の世界を心の中に再生し、自ら体験していきます。その過程で、ワクワクしたり、ハラハラしたり、もどかしく思ったり、ときには涙を流したり、さまざまな感情を体験していくのです。

それが、小説を読むおもしろさです。

物語を通じてそうした感情を体験するのは映画も同じですが、**違うのは、映像があなたの目の前にあるか、心の中にあるか、ということ**です。

しかし、小説を読んで心の中にイメージをつくっていくためには、読み手はそれなりの努力をしなければなりません。読書離れは今に始まったことではありませんが、とりわけスマホの普及がそれに追い打ちをかけています。

平成25年度の文化庁の調査で、「1ヶ月に1冊も本を読まない」という人は47・5％と半数近くに上っています。平成14年にはまだ37・6％だったのに、平成20年には46・1％と既に急増していて、やはりスマホに先立つ携帯電話普及の時期と一致します。

実際、電車の中でも読書する人が減っているのは明らかです。それは、**小説を読むには、自ら文章を読んでイメージしていくという能動的な努力が必要だから**ではないでしょうか。

動画サイトや動画配信サービスも普及し、観たい映画やドラマが手軽に観られる現代、物語を楽しみたいと思ったとき、小説よりも映像の方に多くの人が流れるのは、無理からぬことでしょう。

5 「小説を読んで感動したい」人は少なくないのに……

では、小説はもう時代遅れのジャンルなのでしょうか。いずれ小説は廃れていくのでしょうか。

私はそうは思いません。その理由は、くり返し書いてきたように、小説というメディアのオリジナリティは、物語の世界をイメージし、心の中で体験していくおもしろさにあるからです。それは、映画の楽しみとはまた別のものです。

たとえ少数派であっても、電車の中で文庫本を食い入るように読んでいる人はいるし、図書館に入り浸って小説に読みふける高校生もいることは、私自身の教員経験からも確かです。

この内面的な体験の醍醐味を知る人がいる限り、小説は廃れない、と私は考えています。

また、文学書の出版自体は不振と言われていますが、本屋大賞に選ばれた小説が毎回のようにベストセラーになるのも、**「小説を読んで感動を味わいたい」と考える人たちがたくさんいること**を示しています。

しかし、私が一番気になっているのは、本屋大賞の話題作をぜひ読みたいと思って買ったけれども、なかなか読み続けられずに〝積ん読〟になってしまう。そういう例も少なくないのでは、ということです。

久しぶりに小説を読んで楽しみたい、と本を手にして思ったのに、なぜかうまく読書の世界に入っていけない。こんなはずじゃなかった――。そう感じるのは、小説を読むスキルをしばらく使わなかったからだと思います。

そうした悩みを解消して、**小説を読む楽しさを取り戻したい。心の中にイメージ世界を作りながら読んでいく内面体験をもっと深く味わいたい。**そう考えるあなたにきっとお役に立つのが、「カットイメージ・リーディング」です。

6

カットイメージ・リーディングの効果

本書でこれから紹介する「カットイメージ・リーディング」は、小説のジャンルを問わず、**あなたなりにイメージ豊かに楽しんで読めるようになる方法**です。

やり方自体はとてもシンプルで、すぐ理解できます。それでいて奥が深く、いろいろな小説をこの方法で読めば読むほど、新しい発見を楽しむことができます。

しかもこれは、読書のスキル低下に悩む方だけの単なる「脳のリハビリ」ではありません。

効果の実感は、小説が好きでふだんからよく読んでいる方の方がてきめんです。今まで以上にリアルでワクワクする読書体験を、すぐにも実感していただけると思います。

また逆に、今までは小説をあまり読まなかったが、この機会にその楽しさを味わってみたいという方にも、きっとお役に立ちます。

いずれにしても、**小説を読んでイメージする脳の働きを今よりも生き生きとさせ、小説を読む楽しさを実感できる、とても簡単な方法がある**と知れば、試してみたいと思いませんか。

それが、本書でご紹介する「カットイメージ・リーディング」です。

その効果については、開発者である私自身が手前味噌で語るよりも、まず実際に体験した受講生のみなさんのことばをお読みください。

Chapter 2

「カットイメージ・リーディング」の体験（受講者の声）

「カットイメージ・リーディング」は、もともと高校の国語授業の中で開発したものですが、やがて教員向け研修会のほか、東京都主催の都立学校公開講座や自主開講セミナーの形で、一般の方々にお伝えしてきました。

そうした場で**カットイメージ・リーディングを学んだ方々が、どのような体験をしたのか**。その一部をご紹介しましょう。

体験談は、実際に書いていただいたものもありますが、インタビューからまとめたものも含まれています。

文中、「講座」とあるのは、都立学校公開講座（4週連続）、「セミナー」とあるのは、自主開講の単発セミナーおよび読書会形式の「トークセッション」のことです。

1

小説を読む楽しさを再発見

▼立体的で鮮明なイメージを実感（30代　男性）

小説を読むことは昔から好きでしたが、最近は、何となく小説からは離れていました。仕事の関係で読まなければならないものも多く、余暇には小説を読むよりはドラマや映画を観てしまう、という傾向になっていたと思います。

カットイメージのお話は、以前山崎さんから伺ってとても興味が湧き、ぜひ受講してみたいと思っていました。今回、思い切って公開講座に参加してみて、ほんとうによかったです。

頭の中にイメージを思い浮かべて読むという、**小説の楽しさを再発見**した気がします。指示された手順に従って、実際に手を動かしながら考えていくと、**心の中に立体的で鮮明なイメージが立ち上がってくる感じ**がしました。

4回受講の間に、ふだんの読書でも小説を読み、カットイメージで学んだ意識のしかたを活用したら、鉛筆を持って作業はしなくても情景が浮かび、以前より深く読めるようになりました。

▼ミステリーで感動が味わえる（50代　男性）

私はミステリーが好きでよく読むのですが、ミステリーには伏線というものがあり、前のストーリーで散りばめられていた情報のつながりが、結末で一気に明らかになる、というのがおもしろさです。「伏線」ということば自体も、講座で初めて教わりました。以前は結末にピンとこないところがあって、前の部分を読み返してようやくわかるということもありました。注意力不足で伏線を読みとばしていたのです

カットイメージを知ってからは、そうした細部の伏線が記憶によく残っているので、**結末でそれらが一気につながり、「そうだったのか！」と腑に落ちるおもしろさ**を強く実感できるようになりました。

作家がいかに苦心してミステリーを組み立てているかも、わかった気がします。

結末の納得感が高まると、そこに描かれている人間ドラマも胸にじんとくるようになりました。**ミステリーでも感動できるんだな**というのが、大きな発見でした。

▼もっといろいろな小説を読みたくなる（40代　女性）

私は、小説はよく読むのですが、今から考えてみると、特定のジャンル・作家に偏っていました。カットイメージの講座では、自分ならきっと手に取ることはないタイプの小説も読まされる（？）ので、案外こういう小説もおもしろい、と思えました。**カットイメージのおかげで、いろいろなタイプの小説に目が開いた感じ**です。小説は作家が苦労して書き、一応出版されるだけのことはあって、どれもある程度はおもしろいのではないでしょうか。でも、適当にしか読まないので、そのおもしろさに気づけないのです。

物語のおもしろさ、深く読むことの楽しさを知ってしまうと、癖になるというか、**世にあるさまざまな小説が提供してくれる物語体験を、もっともっと味わいたい**、いろいろな小説をもっと広く読んでみたいと思うようになりました。

でも、そう考えると、時間は圧倒的に足りません。学生時代にこの方法を知っていたら、もっともっとたくさんの小説が読めたのに、と感じますが、言ってもしかたがないので、これから頑張って読んでいこうと思います。

2 今までになく深い読書体験

▼国語教師の自分も今までの読みの浅さを痛感（30代　男性）

私は国語科の教員ですが、正直なところ、今まで自分が小説というものをいかに浅く読んでいたかに気づきました。無意識のうちに流して読み、それでいいと思い込んでいたのです。

今回のセミナーで読んだ夏目漱石の『夢十夜（第一夜）』は、授業でも教えたことがあり、**過去に何度も読み返したはずなのに、カットイメージで読んでみると、思いがけない発見がいくつもありました。**

自分の授業でも、どこまでできるかわかりませんが、カットイメージを取り入れてみたいと考えています。でも、「最初は自分自身の教材研究に使うといいですよ」と先生にアドバイスをいただいたので、まずはそこから始めてみたいと思います。

▼「速読」で得られなかった「読書への没入体験」（40代　男性）

私は「読むのが遅くて読書を楽しめない」という悩みがありました。だから「速読」

に興味を持ち、教室に通ったこともありました。それはそれで有意義でしたが、私の悩みそのものは解決しませんでした。

しかしカットイメージを学んでからは、**読むことに集中して、あっという間に時間が過ぎる**気がします。速く読めるようになったかというと、逆に遅くなっているのですが、**読書の密度が濃くなっているので、「遅い」ことの悩みはありません。**

読んでいてページの進みが遅い、と思っていたのは、どうやら読むことに没頭できなかったからだったと気づきました。

3

話し合いの楽しさ

▼話し合いでもイメージ能力、想像力を使っている（60代　女性）

カットイメージはそれ自体、効果的な技法ですが、それ以上にいいなと思ったのは、同じ小説についていろいろな方と話し合うことです。

カットイメージで読んで自分の中で深まった小説の理解・イメージが、他人と話し合うことでさらに深まるのが実感できます。「人に話すと心の中を探るので、イメージがより鮮明になる」と、先生がおっしゃっていたのが納得できました。

皆さんが語るイメージも、想像しながら聞くので、また楽しいのだと思います。

講座の時間中は、いろいろな形でイメージ能力、想像力を駆使しているのだと実感します。

▼「みんな違って、みんないい」が実感できる（50代　男性）

講座では、他の人のイメージを聞くのがとても興味深いです。一人で読んでいるのでは味わえない楽しみを見つけた感じです。

自分でこうだと思って読んでいたのに、他の受講生のことばを聞くと、自分とは違う思いがけないイメージなので、最初はとても驚きました。

でも、「それは違う。自分のほうが正しい」という気持ちは不思議と起きません。

「それもありだな、おもしろい」という気持ちで、素直に聞くことができます。

「みんな違って、みんないい」と先生が言っていましたが、確かにそれが実感です。

カットイメージを使って読むことで、それぞれが自分の読み方を見つけているので、皆さん、自信をもって発言している気がします。

カットイメージは、**年齢・性別・職業を問わず、いろいろな人と小説を通じて楽しく話し合える方法**だと思います。

4 仕事でも役立つ

▼会議のプレゼンに使える（40代　男性）

カットイメージで小説を読む体験を重ねるうちに、物語の構成を意識して読む癖がついてきました。そのことで小説の楽しみが何倍にもなった気がします。

そして、最近気づいたのは、仕事上で会議のプレゼンテーションをつくるときにも使えるということです。

ふと気づくと、プレゼンのスライドをカットイメージのように思い浮かべて構成を考えていました。**頭の中でいくつかのスライドを並べ、順番を入れ換えて考えていくと、効果的な見せ方を見つけることができる**のです。

またその作業中、聴き手の反応も自然にイメージしていることに気づきました。**心の中で聴き手の表情が見える気がする**ので、その反応がイマイチなのはなぜか、どこがわかりにくいのか、と考えてスライドの表現を見直します。

カットイメージで学んだことが仕事の上でも役立っていたのは、自分でも驚きでした。

5 自己への気づき

▼眠っていた脳が目覚めた実感（50代　女性）

初めてカットイメージの講座を受けたとき、**脳の眠っていた部分が目覚め、脳細胞が活性化したような、新鮮な実感**がありました。

あまり認めたくはないですが、年齢からか、日常の刺激不足からか、頭をワンパターンでしか使わず、頭の働きが若いころのようにスッキリとしない感じがありました。それをどうしたらいいかわからなかったのですが、カットイメージで小説を読んでみると、今まで自分が求めていたのはこの体験だったと感じました。

脳の老化を漠然と不安に思うだけでなく、一つの対策を手に入れた感じです。カットイメージを活用して小説を楽しんで読んでいけばいいのですから。

でも、ふだん使っていない脳を使って疲れることは確かで、講座に参加した日の晩は、必ず心地よい睡魔に襲われるので、テレビを観るのはあきらめ、いつもより早く床につきます。**眠りはグッスリと深く、もちろん目覚めも爽快。**なんて健康的な生活！

▼小説のイメージ世界に浸り、心が癒される（50代　女性）

何気ない気持ちで受講した講座でしたが、参加してほんとうによかったと思います。日常生活では、仕事と家事に追われて、ゆっくり本を読む時間はなかなか取れません。でも、この講座の時間だけは何とか都合をつけて、毎回楽しみに参加しました。

カットイメージを使って物語イメージの世界に浸っていると、**ふと我に返って、別世界を旅して帰ってきたような感じがする**ことがあります。

講座を終えて家に帰ればまた日常が待っているのですが、いつもなら子どもたちを大きな声で叱りつける場面で、なぜか優しく声をかけている自分に気づきます。**日常の中ですり切れてトゲトゲしていた心が、カットイメージの体験によって癒され、元気を取り戻して現実生活を生きていくエネルギーをもらえる**気がします。

小説を読むことの意味って、そういうことなのかなと、少し実感し始めています。

▼イメージしにくいことにも気づく（30代　女性）

カットイメージを学んで心の中に浮かぶイメージを意識するようになると、自分にとって**イメージしやすいものとしにくいものがある**ことに、漠然と気づき始めました。

私は自然の風景や小動物、子ども、日常的な生活の様子などは努力せずにイメージできますが、メカニックやスポーツ、ビジネスの世界を描いた文章などは、まったくイメージできません。それらに関心がないので、想像する材料がないのです。

そのことに気づいたのは大きなことでした。カットイメージに出会う以前は何となく読んでいたので、イメージできるものもイメージせずにいたのです。

そして、イメージできないものはさておき、まず**イメージできるものはしっかりイメージしようと意識すると、本当に小説を楽しめるようになりました。**

でも、今まで知らなかったものも、インターネットで画像検索して写真を見たりするとイメージできるとわかったので、少しずつ始めています。

いかがでしょうか。

あくまで個人の感想で、効果に個人差があることは言うまでもありませんが、どのような体験が期待できるかは、想像していただけたかと思います。

体験記からも伺えるように、カットイメージ・リーディングは理屈ではなく、**あなた自身で進めていく具体的な方法論**です。

では、次の章から実際に体験しながら、ご自分で効果を確かめてみてください。

第2章

小説を読んでイメージするとは
どういうことか

Chapter 3

短い小説を読んで考えてみよう

1 体験しながら読み進める

では、ここからは、読者のあなたに実際に体験していただきながら進めます。

この本は単なる読み物ではなく、**あなた自身でワークに取り組み、実際に考えたり感じたりすることで、体験の中から理解していただく**ように作られています。

本に書き込むことが多くなるので、**鉛筆またはシャープペン**（Bか2Bの軟らかい芯がよい）と**消しゴム**をご用意ください。

とくに第3章以降のカットイメージのワークでは、何度も消しては書き直すことになるので、ペンは向きません。消せるボールペン（フリクションボール）もあまりお勧めはしませんが、使い慣れている方はそれでもかまいません。

では始めていきましょう。

2 読んでわかることは何か

次の短い小説を読んで、あとの問いに答えてください。

300字小説　チャイムの記憶

日中、家にいるようになったら、近所の小学校からチャイムがよく聞こえることに気づいた。

この旋律は全国共通なのか、とても懐かしい響きだ。

そのたびに、小学校時代の記憶の切れ端が浮かんでは消える。

黒板の前で話す先生の姿、子どもたちのざわめき。

ランドセルの重さと通学路の風景。

給食の香りと空腹感。

いたずらをしては走り回る同級生たちの笑顔。

リコーダー練習で騒々しい音楽室。

彫刻刀で彫る木版の感触。

全校朝礼のときに見ていた青空。

幼い言い争いと悔し涙……。

チャイムの響きに呼び覚まされて、毎回、違う場面が鮮明に浮かび、記憶の底があちこち掘り起こされていく。

小学校の思い出をベースに、小説が書けそうな気がしてきた。


今の小説を読んでわかったことは何ですか?

いくつかメモ書きしてみてください。必ず、実際に書いてみてから先を読んでください。


さて、何を答えていいのかと戸惑われた方も多いかもしれません。

わかったこととは何か。……

私の求めている答えは、たとえば、次のようなことです。

「語り手は小学校のチャイムを聞いて懐かしく感じている」
「チャイムの音が聞こえるたびに小学校時代の思い出があれこれ浮かんでくる」
「語り手の小学校では、音楽の時間にリコーダーを使っていた」「図工の時間に木版画づくりをしたことがあった」
「小学校時代に言い争いをして悔し涙を流したことがあった」……

基本的にはこの文章中に書いてあることです。
それ以外に、文章上に直接書いてはいないが、間接的に読み取れることもあります。
たとえば、次のようなことです。

「この話の語り手は最近になって、日中、家にいるようになった」
「語り手の家は、チャイムが聞こえるくらい小学校に近い」

しかし、もっと違う答えを書いた方もいるでしょう。
セミナーでこの質問をすると、たとえば次のような答えを言う方がいます。

「この男性は、定年退職して家にいるようになった」

「リタイア後の趣味として小説を書きたいと思っている」


実際、これらの発言をしたのは別の男性ですが、2人とも60代です。

しかし、これは正確に言えば、「わかったこと」ではありません。なぜなら、語り手が男性であるとする根拠は文中にないからです。リタイア（定年退職）して家にいるというのも、推測に過ぎません。

「わかったと思い込んでいること」と言っては失礼ですが、「わかったこと」を聞かれて、「自分が想像したこと」を答えたわけです。

この**「文章中からわかること」**と、**「想像したこと」を区別することが**、文章を正確に読み、同時に想像力豊かに読めるようになる第一歩です。

3 読んで想像していること

では今度は、わかったことをふまえて、想像力を働かせてみましょう。

この小説について、次の問いに答えてください。

必ずあなた自身で考え、答えを書き込んでから次を読んでください。

①語り手の性別は？　男性？　女性？

②語り手の年代は？

③語り手はなぜ、日中、家にいるようになったのか

④語り手が住んでいるのはどんな地域？
都会？　農村？　住宅地？　それとも？

⑤先生の性別、年代は？　顔かたち、服装は？

⑥思い出の通学路はどんな風景？
都会？　田舎？　周りに何がある？
通学は一人で？　友達と？　それとも集団登校？

⑦走り回る同級生たちの性別は？　何年生？　何人？　表情は？
場所はどこ？　教室？　廊下？　校庭？
どんないたずら？

⑧思い出の小学校の建物はどんな形？　どんな色？　何階建て？

⑨言い争う子どもたちの性別は？　何年生くらい？
泣きながらなんて言っている？

⑩最後の行で、語り手はどこにいて、どんなかっこうで、どんな表情？

いかがですか。

簡単でいいので、必ず答えを書いてから次を読んでください。

これらの答えは一つではない、というのはおわかりだと思います。

実際、講座などで皆さんに質問すると、さまざまな答えが返ってきます。
語り手の性別、年代ひとつとっても、実に多様です。

男性は男性、女性は女性と答える場合が多いですが、ご自身と反対の性別を言う方もいます。

この文章を読む限り、性別を限定する表現はないので、どちらで想像しても間違いとは言えません。

この小説には作者名がありませんが（作者は私です）、作者名がある場合には、作者が男性だから語り手は男性、と答える人もいます。

もちろん、エッセイの場合ならそれでいいのですが、これは「小説」と銘打ってあるので、**作者と語り手は別**、と考えるのが基本です。

いつも「作者が〜だから」と考えていると、想像が限定され、小説を読むおもしろさが激減します。国語の授業がつまらない原因の一つです。

さて、では、語り手が家にいるようになった理由は何でしょうか。これは、その前の性別・年代と関連しています。

さきほど「60代男性」という答えを紹介しましたが、その場合、家にいる理由は、「定年退職」です。

しかし、「30代女性」と答えた方の理由は、「産休に入った」でした。

また、「20代男性」と答えた方は、「新卒で入った会社に三年辛抱して勤めたが、いよいよ決心して退社し、少し休んで次の就職先を探そうとしている」と言いました。どの答えもありで、性別・年齢と「家にいる理由」が矛盾しなければいいのです。むしろそれが自分の中で納得いくようにつながることで、文章の背後にあるストーリーへと想像が広がっていきます。

この例で気づいてほしいのは、これらは想像の範囲であり、さまざまな答えがあり得るのに、自分の想像を「そこに書いてあること」と思い込んで読み進めていることが案外多いのではないか、ということです。

先ほど言った、**「文章からわかること」**と**「想像したこと」**の区別がついてないのです。この区別を意識して読むと、文章を正確に読みつつ、あなたなりの想像を楽しむことができるようになります。

4 「意味」がわかれば、それでいいのか

もう一つ、注目すべき受講生の反応としては、「性別も年代もいろいろあり得るので、特定しなくていいんじゃないですか」というものです。

ある面ではその通りです。

最初に考えていただいた「読んでわかること」は、想像しなくてもわかることです。性別や年代を特定しなくても、「語り手は最近、日中、家にいるようになった」ことはわかります。

また、「語り手は小学校のチャイムを聞いて懐かしく感じている」ことも、「小学校時代に言い争いをして悔し涙を流したことがあった」こともわかります。

しかし、それは実用文の読み方で、小説の読み方ではありません。

小説は、イメージして読むことで楽しむ「文芸」です。語り手の様子を心に具体的に描くことで、「懐かしく感じている」という気持ちを感じ取ることができます。

小学校時代の言い争いの場面をリアルに思い浮かべれば浮かべるほど、「悔し涙」に込められた感情を味わうことができます。

ここが、小説を読む楽しさを見つける最大のヒントです。

小説は文章なので、実用文のように読めばわかりますが、それだけでは、小説のおもしろさは実感できないのです。

「語り手の性別はどっちもありじゃないですか」というのは、むしろ、国語の授業をする先生方に学んでいただきたい態度です。

私が見聞きしてきた国語の授業は、多くの場合、「作品の解釈は一つしかない」という誤解を、生徒たちに与えかねないと感じます。

本当は、文章に矛盾しない限りさまざまな解釈が可能なのが文学です。そのことをふまえて、生徒の発言を平等に受け入れ、尊重してほしい。そして、想像しながら読む楽しさを生徒たちに体験させてほしい。そう思います。

しかし、読者であるあなた自身の態度としては、「どっちもありなんじゃないですか」と言って、自分の想像を止めてしまうのは、とてももったいないことです。

「どっちもありじゃないか」と考えたら、**「だから、自由に想像してみよう」とあなた自身に語りかけ、思う存分、想像力を解放してほしい**のです。


ここまでの説明で、文章の意味を理解するだけでなく、心の中にその情景を描き出すことで、小説のおもしろさは味わえる、ということがおわかりいただけたでしょうか。

先ほど答えていただいた10個の質問は、あなたの想像力を引き出し、心の中にイメージを鮮やかに描き出すためのヒントです。

これらの質問への答えを、イメージとしてあなた自身の心の中に探してみてください。

そのイメージを思い浮かべながら、元の文章をじっくりと読み味わってみましょう。

想像力を働かせて読むことの楽しさを、実感していただけると思います。

5 脳のイメージ機能を働かせて読む

この辺のメカニズムを、脳の働きで整理しておきたいと思います。

私たちの大脳は左半球（左脳）と右半球（右脳）に分かれ、それぞれが異なる機能を担っていることは、今や常識になっています。

左脳は主に言語処理を司り、右脳は空間認知、イメージ処理を担当するとされています。左脳に脳梗塞などが起こると、言語障害を発症しやすいのはそのためです。

しかし、これらは別々に働いているのではなく、左右の半球をつなぐ脳梁によって、瞬時に情報をやりとりし、連携して高度な情報処理を行なっているのです。

この大脳半球の機能分化のしくみを用いて、「読んでわかる」ということを図式的に理解してみたいと思います。

48ページのイラストをご覧ください。上の図で「いま彼女はパリにいる」ということばを読んで意味がわかるのは、主に左脳の言語理解の働きです。

先ほど書いたように、実用文の世界ではこれでほぼ足りてしまいます。

しかし実際には、**まったくイメージ（右脳）の力を借りずに文章を理解しているということはあり得ません。**

「パリにいる」を読んだとき、「おしゃれだな」とか「自分も行ってみたい」という気持

① 本を読んで、意味がわかる

※脳は正面から見た前頭部の断面図

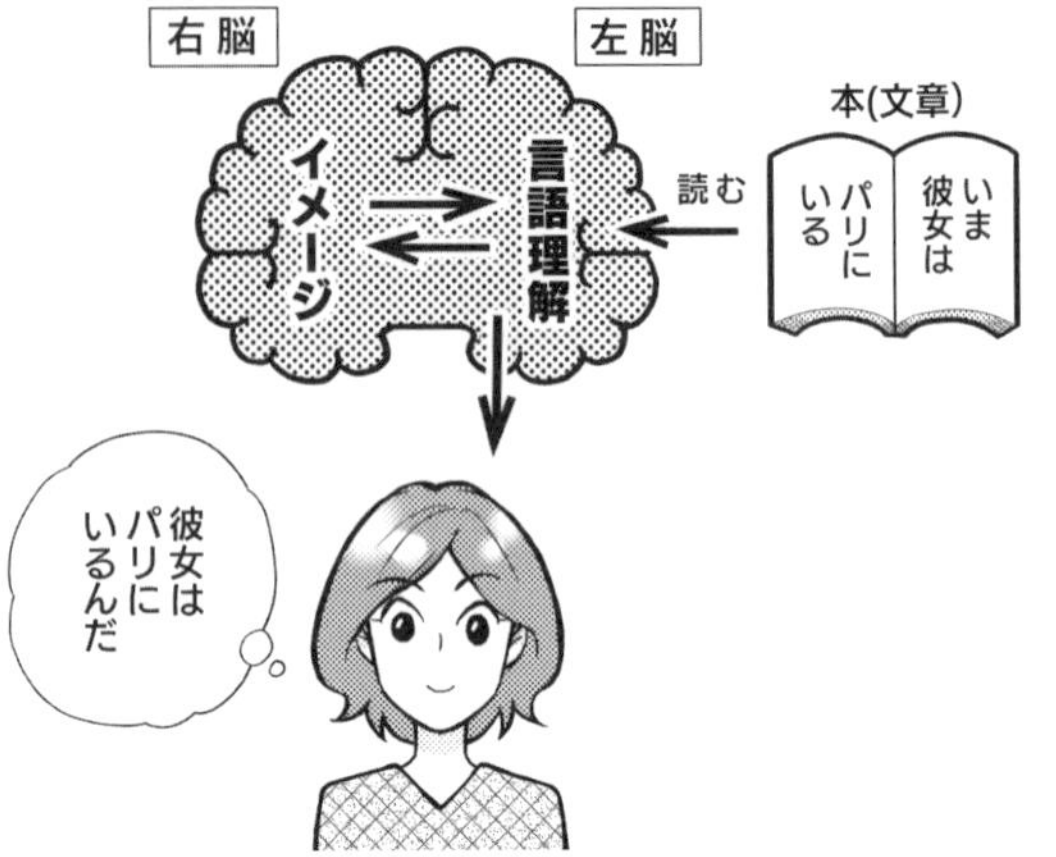

ちが動いたとしたら、それは心のどこかにイメージが湧いていたからではないでしょうか。

イメージは、意図しなくても反射的に浮かんでいるのです。前の節で紹介した「語り手の性別はどっちもありじゃないですか」と言った方も、「そういう考えもあるのでは」と思って言ってみただけで、よくよく聞いてみたら、実際には女性を想像して読んでいました。

これらことは、**左脳が単独ではなく、右脳の力を借りて相互に情報をやりとりしながら読んでいる**ことの証拠です。図の中で脳の真ん中に描かれた左右向き矢印は、そのことを示しています。

とは言っても、「意味がわかればいい」という意識で読むのと、**「想像してみよう」**、

② 本を読んで、イメージが浮かぶ

「イメージを楽しもう」と思って読むのとでは、脳の働きがやはり違ってくるのではないでしょうか。

それを表したのが上の図です。ここでは頭の中にイメージが生き生きと浮かんでいます。すると、より大きく感情が動き、表情も変わってきます。

左脳の言語理解をベースに、右脳のイメージの働きを全開にして読んでいくことで、心が動く読書体験が得られるのです。これが**小説を読むときの脳の使い方**です。

6 小説を楽しめないメカニズム

言語を使わない芸術、たとえば絵画や音楽を楽しむとき、私たちの脳は、目や耳から入った情報をまず右脳で処理し、感じるのだと考えられます。だから、美術や音楽は、国や言語を超えて楽しむことができるのです。

もちろん、ことばを使って美術作品について語り、音楽を論じることもあります。右脳レベルで感じつつ、その感覚について左脳レベルで考えたり話したりすると、さらに鑑賞が深まり、楽しいのです。やはり**左右の脳は相互に連携して芸術を楽しんでいる**と言えるでしょう。

いずれにせよ、入り口が右脳か左脳かによって、美術・音楽と小説では、脳の使い方が基本的に違っているのです。

さらに考えていくと、画とことばを一緒に理解していくマンガや、動画にセリフや音楽がついた映画などは、左右の脳で同時に情報を処理して楽しむ芸術ジャンルと言えるでしょう。

それはさておき小説に話を戻すと、**まず言語理解を経て、それからイメージ化するという順で脳を使い、楽しむ。それが小説の大きな特徴**です。

しかし厄介なのは、「文章を読む」という言語理解の機能は、私たちが日常的に使っていて、その際に必ずしも右脳のイメージを強く意識しなくても用が足りる、ということです。

だから、小説を実用文のように左脳レベルで読んでも、意味はわかります。意味がわかれば、脳の情報処理は一応済むので、右脳をあまり使わなくても、先へ先へと読むことはできるのです。

もちろん本人は読んでいるつもりなのですが、イメージ化が不十分なので、小説の世界に入り込み、楽しむには至りません。

これが、**「小説を読んでも楽しめない」という状態が起こるメカニズム**です。

だから、小説を楽しみたいと思ったら、左脳の言語理解レベルに留まらず、右脳のイメージ機能をもっともっと働かせる必要が出てきます。

意味理解をベースにして、場面の状況をありありと思い浮かべ、人物の表情の変化もリアルに追っていくことで、その世界を体験し、感情を味わい、小説を楽しむことができるのです。

でも、どうしたらそれができるでしょうか。

そのためには、まず、ここでいう**「イメージ」とはどういうものなのか**を、理解していただく必要があります。

Chapter 4

「イメージ」を体験してみよう

1 「イメージ」とは

ここまで「イメージする」ということばを何気なく使ってきましたが、「イメージする」とはどういうことか、疑問をお持ちかもしれません。

この本で使っている「イメージ」ということばの意味は、一言で言えば、**「心の中で生じる五感の体験」**です。

よく知られているのは、スポーツ選手の「**イメージ・トレーニング**」でしょう。

フィギュアスケートの羽生結弦選手や体操の白井健三選手がイメージ・トレーニングを活用しているという話を、聞いたことがあるかもしれません。

深いリラックス状態で、自分が実際にプレイしている様子を、心の中にありありと思い浮かべる方法です。

自分自身の姿を外から客観的に観ることもできるし、主観に入り込んでプレイ中に耳をかすめる空気の音や、自分自身の筋肉の動き、体温などをリアルに体感することもできると言います。

難度の高い技は、イメージの中でスムーズにできるまでくり返し練習します。イメージならば場所を選ばないので、移動中の飛行機の中でもできるし、難しいところだけをゆっくりくりくり返すこともできます。すると、脳がその感覚を記憶し、実際の練習や試合でもうまくできるようになるのです。

さらに、本番のプレッシャーに負けないため、試合場面でのびのびプレイする自分をくり返しイメージして、表彰台で金メダルを手にして歓声を浴びる場面まで心に焼きつける、などと言われます。

これは、典型的なイメージの活用例です。

また、**心理療法**では、心に自由に浮かぶイメージを話したり、絵に描いたりすることで、自分自身への気づきを深め、深い心の葛藤を解消していく方法があります。

スポーツ選手と同じように、対人関係などの苦手な場面をイメージの中でくり返し練習して、自信をつけていく「**イメージ・リハーサル**」という技法もあります。

こうしたイメージ・トレーニングや心理療法の場面で使われる「イメージ」ということばの意味をまとめると、次のようになるでしょう。

対応する五感の刺激がないのに、それがあるかのように心の中で感じられる体験。映像が見えているかのような感じ（視覚イメージ）、音が聞こえているような感じ（聴覚イメージ）がその例である。同様に、触覚、味覚、嗅覚に対応したイメージもある。ただし、意識は常に目覚め、これは現実ではないという感じが保持されている点で、幻覚や夢とは区別される。（イメージ療法関連の複数の専門書から私がまとめた定義）

つまり、イメージはリアルな五感の体験ですが、それが現実と混同されることはないのです。

まさに、〝**映画を観ているみたいな**〟体験だと思いませんか。

いや、視聴覚以外のイメージも伴うことを考えると、**映画以上の体験**と言っていいかもしれません。

2　イメージは日常的に浮かんでいる

今紹介したようなイメージの活用例では、呼吸法などを用いて、心身のリラックス状態を作り、多くの場合は目を閉じて、イメージに集中していきます。それを体系化したのが、「**瞑想**」などの方法です。

私自身は、「**自律訓練法**」というセルフコントロール法を用いて瞑想状態に入り、イメージを体験することを、長年、習慣にしてきました。

その話を書くと長くなるので、別の機会に譲りますが、目を閉じた状態でのイメージ体験をくり返した結果、**イメージは何も特別なものではなく、目を開けていても日常的に心に浮かんでいるもの**だと気づくようになりました。

たとえば、電話で話しているとき、相手の顔や様子を心に思い浮かべているし、過去の思い出にふけるときも、これからやる作業の段取りを考えるときも、イメージを使っています。それらのイメージは、目を開けた状態のまま頭の中に浮かんでいるのが実感です。

つまり**イメージとは、私たちが感じたり考えたりするときに生じる、自然な心の働き**なのだと思います。私たちはふだん、そのことに鈍感になっているだけなのではないでしょうか。

もちろん、瞑想状態で深く集中したイメージと比べれば、あいまいで漠然としていることも事実です。でも、やはりイメージには変わりありません。

本書で、「小説を読むときに浮かぶイメージ」と言っているのはそうしたものです。そのリアルさは個人差や場合による差がありますが、**目を開けて本を読みながら、心の中に浮かんでいる「五感に似た体験」**です。

だから、視聴覚を中心としたイメージは、心の中で〝映画を観ている〟体験に似ていると言えるでしょう。

3

イメージを体験する実習

では、ここでいう「イメージ」について、実際に体験しながら理解していただくことにしましょう。

比較的わかりやすいイメージ体験の一つは、私たちが**「思い出にふける」ときに心に浮かんでくる情景**です。

昔のアルバムをめくって、懐かしい写真などを見ていると、そのころの思い出がよみがえってきます。それは、心の中で見えたり聞こえたりするイメージ体験ではないでしょうか。

先ほど読んだ300字小説『チャイムの記憶』も、実はそういう話でした。

そこで、**小学生のころの記憶を例に、イメージ体験の実習をしてみる**ことにしましょう。このあとに実習をガイドする文章がありますので、まずは全体を、実施せずに通読します。

どんなことをするのか、理解してください。

そのあと、できれば20分くらいは途中で邪魔の入らない、一人で心の中に集中できる空間・時間を確保して実習します。邪魔が入らなければ、喫茶店などでも大丈夫です。途中、〈image〉とあるところでは、読み進むのをいったんやめてイメージを味わいます。そのときに目を閉じる必要はなく、文字を眺めながら、心の中で体験を味わうようにします。

イメージを味わって、自分でいいと思ったら、先へ進みます。

◎イメージ体験の実習　～小学校の校庭と校舎～

まず、この本を手にしたまま、ゆっくりと息を吸いながら肩を持ち上げ、一度止めて首・肩の緊張を感じます。次に、息を吐きながらゆっくりと下ろします。

ストンと下ろさず、呼吸に合わせて力を抜いていくようにします。

完全に肩が下りた後も、肩や首の力が抜けてリラックスしていく感覚を味わうようにします。肩や首の筋肉が緩んだ感じ、温かな感じなどです。

それをあと2、3回くり返したら、リラックス感が全身に広がっていくと想像してみてください。

肩から首、顔、頭へ。

肩から腕、手、指先へ。

肩から胸、腹、背中、腰、脚、足先へと。

全身のリラックスを味わいます。

〈image〉

では、自分の目の前に「どこでもドア」をイメージします。

どんな色、形、デザインのドアでしょうか。

ドアノブは、右、左、どちらについていますか。

〈image〉

そのドアの向こうはあなたの通っていた小学校の校庭です。

では、ドアをあけ、向こう側へ行きましょう。

校庭に立って、周りを見渡してみてください。何が見えますか。
鉄棒や砂場、遊具などが見えますか。木や花壇などが見えるでしょうか。

〈image〉

見えてきたもののうち、どれかを選んで、よく観察してください。
どんな色か、形か。手で触ってみたらどんな感触か。
自分の五官で確かめるようにします。

〈image〉

少し体験したら、別のものにも移ってみます。
ひとつひとつ、イメージを確かめてみてください。

〈image〉

いくつか体験できたら、校舎を見上げてみます。
何色で、どんなつくりで、何階建てですか。

〈image〉

さて、校舎の入り口はどこでしょうか。
そこから中に入ってみてください。
何が見えてきますか。校舎内を探検していきます。
どんな部屋がありますか。

一つ一つ見てみてください。

〈image〉

あなたの好きな部屋はどれですか。

自分のクラスの教室でもいいし、図書室や音楽室、理科室、家庭科室、図工室……、あるいは体育館でも構いません。

一つだけ選び、その場所に行って、好きなように座るなり、歩き回るなりしましょう。いろいろなものを観察し、そこにいて楽しい感じを思い出してください。

〈image〉

そのままそこにいて、小学校時代の何か楽しかった出来事を思い出してみます。その場所に関連しているかもしれないし、関係なくてもかまいません。どんな出来事でしょう。誰がいて、あなたは何をしていますか。

何年生のときだったでしょうか。

そのときの自分になりきって、その場面を五官で味わうようにしてみましょう。

〈image〉

しばらく思い出にふけり、満足したら、現実に戻ります。

「どこでもドア」を目の前に出現させましょう。

ドアノブは、左右どちらについていますか。

では、ドアを開け、そこを通って現実に戻ります。

〈image〉

大きく深呼吸をして、首や肩を動かします。

周りを見回し、部屋の中の様子を見て、現実に戻った感じを確かめてください。

以上で実習は終わりです。

4

イメージを体験するためのコツ（心の態度）

イメージの実習は、いかがでしたか。

思ったより鮮やかなイメージが見えてきてびっくりした、という方もいれば、何も見えず、うまくできなかった、という方もいるでしょう。その中間の方がもっとも多いかもしれません。

何か浮かんでいるような気がするが、これがイメージなのか、今ひとつわからない、といったところでしょうか。

それでかまいません。いずれにしても、**「うまく見えない」と感じることも含めて、「イメージを見ようとする体験」**をしていただきたかったのです。

イメージは、日常的に浮かんでいると言った通り、イメージ自体は自然に起こる心の働き、言い換えると自律的な反応なので、意図的に見ようとすると、難しく感じられるのです。

意図的にできることは、**イメージが現われやすい条件を作り、イメージの自発的な働きを尊重した関わり方をしていくこと**です。

それは、次の五つです。

① 心身のリラックス

実習の最初に呼吸と肩の動きで、リラクセーションを行ないました。**体の力を抜き、呼吸を深くする**ことで、心身をリラックスさせ、**心の中に集中しやすい状態**をつくろうとしたのです。

イメージを見るための条件の一つは、**心身のリラックス**です。

② イメージについて質問する

それから、まず「どこでもドア」をイメージしました。国民的人気マンガ『**ドラえもん**』（**藤子不二雄Ｆ**）に出てくる「ひみつ道具」です。

その色や形、とくにドアノブが左右どちらについているかを尋ねました。これは、イメージを引き出す質問です。

質問を理解し、自問することとは、言語的な左脳の働きですが、その質問に答えようとしてイメージを探ると、イメージが向こうから見えてくることがあります。それは右脳がイメージを生み出す自律的な働きです。

イメージについて質問し、その答えを心の中に探すこと。これが、イメージを体験する二つ目のコツです。

③今ここの体験として感じる

今回、小学校の風景自体は、思い出にふけるというよりは、その場にいるかのように感じ、見るようにしました。

心の中で、目の前にあるものを見ようとすると、イメージは向こうからやってきます。それが**イメージの自発的な働き**です。

「今ここ」の体験としてイメージを味わおうとすること。これが三つ目のコツです。

④浮かんできたイメージに決めて他は捨てる

「通っていた小学校」と言われて、転校して複数の小学校に通ったことがある方は戸惑われたかもしれません。

その場合、どの小学校にするか迷うかもしれませんが、一度に集中できるのは一つです。

ですから、一つに決めてしまいます。
と言っても、それは頭で（ことばで）A小学校に決める、ということではありません。まずA小学校が見えてきた気がしたら、他の選択肢への迷いは捨てて、それを見ていく、ということです。

見えてきたイメージに決めてそれを見ていくと、A小学校で始めたはずが、見えてきた図書館の風景はB小学校に似ている、ということも起こり得ます。それがイメージの性質なので、心の中で今見えているものを大切にして進んでいくのがコツです。

イメージを体験する前に、「転校したからどの小学校にしようか」とことばの思考だけで迷っていると、なかなかイメージ体験に入れません。

見えてきたものに迷わず決めて、それを観察していく、という態度が、イメージを体験するためのポイントになります。

⑤ 浮かんできたものを認め、能動的に楽しむ

イメージは自然に、あるいは反射的に浮かんできます。

だから、努力してイメージを作ろうとするのではなく、**リラックスして体験を楽しむという態度が大切**です。

イメージが漠然としているからと言って「これじゃだめだ」と批判すると、イメージ

の働きを萎縮させてしまいます。

断片的なものでもあいまいなものでも、心に浮かんできたものを「これでいいんだ」とまず認め、それを味わおう、楽しもうとすると、結果としてはっきりと感じられてきます。それが**イメージというものの特性**です。

イメージの萌芽は、ひ弱な幼な子のようです。

初めは未熟に見えるかもしれませんが、生まれてきてくれたことに感謝して大切にしていくと、のびのびと成長し、立派なイメージに育ってくれるのです。

5

イメージの没入体験はふり返って感じるもの

今まで見てきたように、イメージ体験について過度な期待を持つと、逆にイメージ体験を難しくしてしまいます。

例えば、セミナーなどでイメージを語り合うと、他の人の語るイメージを聞いて「すごい」と驚き、一方で「自分はできない」と自信を無くしてしまう人がいます。

実は、他の人のイメージを聞いて「すごい」と思えること自体が、話を聞いて鮮やかにイメージできた証拠なのですが、ご本人はそれに気づいていません。

また、イメージを生き生きと語っている人も、それほど深いイメージ体験をしているとは限りません。

実は、イメージ体験を語っていると、イメージはさらに深くなっていくのです。語りながらイメージを追体験し、さらに実感を深めているのが真相だと思います。

もちろんイメージに「没入する体験」はあるのですが、その最中に「没入しています」と言うことは困難です。

たいていは、**あとからふり返って「没入していた」と言う**のです。ということは、もしかしたらそのときはそれほど没入していなかったのかもしれません。

例えば、映画を観ているときもそうです。

映画を観たあと、私たちはその世界に没入していたと思っていますが、意外とそうでないこともあります。

最近の劇場ではだいぶ改善されましたが、前の座席に背の高い人がいてスクリーンが見えにくいときなどはイライラします。また、近くでひそひそ話をするカップルがいてうるさかったとか、長時間観ているうちにお尻が痛くなってきたとか、実際にはいろいろなノイズに妨げられながら映画を観ているのではないでしょうか。

しかし、観終わって「おもしろかった」とスッキリしたり、結末に感動したりして、その映画をあとで思い返すと、映画館で気になっていたさまざまなノイズはすっかり抜け落ちて、**映画に没入した体験だけが残っている**のです。

小説に没入するという体験も、そういうものではないでしょうか。

満員電車の中で小説を読むとき、隣の人の咳が気になったり、乗り過ごさないように車内アナウンスに耳をそばだてたりしながら読んでいるというのが普通です。

そして、乗換えのたびに読書を中断して階段を上り下りしても、また本を開けば、夢の続きを見るように物語世界は続いていきます。

その結果、感動が味わえたなら、あとからふり返って「没入していた体験」として思い出されるのです。

だから、「映画を観ているみたいに小説が読める」というのは、より正確には、「**ふり返ってみると〝映画を観ているみたいに小説を読んでいた〟気がする**」としか言えません。

映画を観る体験自体が、先ほど言ったような事情なのですから、それで十分だと思いますが、いかがでしょうか。

何度でも言いますが、**イメージというものについて過度な期待を持たないことが、イメージを深く体験する最大のポイント**です。

あなた自身の心に浮かんできたものを認め、よく観察し、楽しもうとすること。その態度が、結果として深いイメージ体験をもたらすのです。

6 イメージ体験での気づきを活かして小説を読む

この章では、イメージというものについて体験的に理解していただきました。

「イメージして読む」ということの意味が、前よりも実感できるようになったでしょうか。

その実感を活かして、もう一度、この章の初めに示した小説『チャイムの記憶』を読んでみてほしいのです。

リラックスして、心の中の五感イメージに気持ちを向け、自問自答しながら、じっくりと読み味わってください。

……

印象がずいぶん変わったことがわかると思います。

しかし、これはまだまだ「カットイメージ・リーディング」の入口に過ぎません。

ここで理解できた**「イメージ」というものを活用して、より長い小説を読んでいくにはどうしたらいいか。**

そのために開発した「カットイメージ・リーディング」の方法を、次の章から段階を追って体験していただきましょう。

第3章

カットイメージとは

Chapter 5

映画とマンガからの類推

1 長年の読書スタイルを変えるには

第2章までの説明と体験から、**心に浮かぶイメージをもっと活用すれば、小説をより楽しく読むことができそうだ**、と感じていただけたでしょうか。

「小学校の校庭と校舎」のイメージで体験していただいたように、リラックスして集中していけば、もっとリアルで鮮やかなイメージが心に浮かんできます。

また、300字小説『チャイムの記憶』で見たように、イメージを意識して読むことで、内容自体もあいまいではなく、しっかりと理解することができるのです。

では、これだけの知識があれば、もう少し小説を楽しく、深く読むことができるでしょうか。

もちろん、そう簡単にはいかないでしょう。

長年の間に身につけた私たちの読み方のスタイルは、頭で考えただけですぐに変えられるものではないからです。

とくに**小説は文章が長く、複雑な構成をもっています。それを順に読み解き、イメージ体験を深めていくには、それなりの練習が必要**です。

それを可能にしたのが、これからお伝えする「カットイメージ・リーディング」です。しかも、辛抱強く訓練を続けて効果がわかるものではなく、このやり方を試してみれば、すぐに何らかの効果が実感できると思います。

2

映画のカットから考えてみる

「カットイメージ」は私の造語です。それは一言で言えば、「**物語を読んで心に浮かぶ一連のイメージを単位化したもの**」です。

物語を追いながら心に浮かんでくる1枚1枚の画のようなもの、と言っていいかもしれません。

これを理解していただくためには、**あなたがふだん観ている映像にも区切りがある、**ということの気づきが必要です。

今、ご自宅にいるならば、ちょっと本を置いて、ビデオで映画やドラマを再生するか、

映画のカット

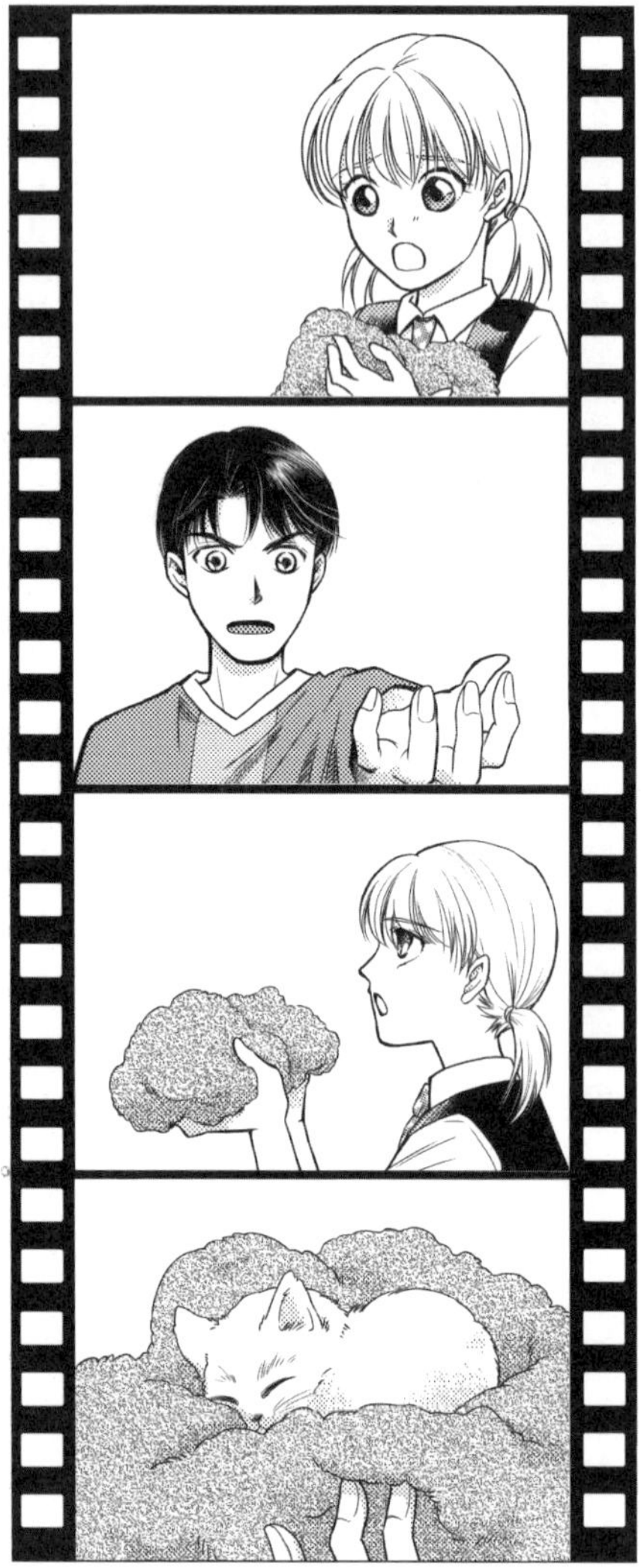

ＢＳの映画かドラマのチャンネル観てみてください。外にいてそれが難しければ、スマホの映像サイトで映画やドラマを検索して観てください。

映画やテレビドラマの映像は、基本的にカットによって構成されていることがわかるでしょうか。

カットとは映像の切れ目です。私たちが観る映画やドラマは、ただ流れているように思いますが、意識して観ると、人物Ａが話している映像の次には、人物Ｂの顔になり、またＡの顔を違う角度から、というふうに切り替わるのがわかります。

これが、**映像におけるカット**です。

私たちの観ている映画やドラマは、カットによって物語がわかりやすいようにつくられています。

とくにエンタテイメント性の高い映画は、次々とカットが切り替わることによって、私たちを否応なく物語の世界へ引き込んでいきます。

しかし、カットを多く使わない映画もあります。昭和20～30年代にヒットした小津安二郎監督の映画など、カメラを止めずに撮影したロングカットを多用していると言われます。

しかし、そうした場合でも、人物が動き、セリフを言い、表情が変わることで、そのシーンの意味は変わります。そこには、切れ目があると考えていいでしょう。

3 マンガのコマから考えてみる

もっとわかりやすいのが、**マンガ**です。

マンガは、コマ割とセリフ（吹き出し）によってできています。とくに日本で高度に発達したストーリーマンガは、映画のカットのようにコマの運びで物語を展開し、人物の表情の変化で、心理を的確に描写していきます。その表現技法は非常に洗練されたものです。

これもまた、手近にあるマンガ（4コマなどではなく、ストーリーマンガ）をめくって確かめてみるか、好きなマンガを思い出してみてください（次のページの例を参照）。

マンガは1コマ1コマが静止画なので、カットイメージの例としてはとても分かりやすいと思います。

でも、心の中のカットイメージはマンガとイコールではなく、もっと動きがあって音声もリアルで、生き生きと感じてほしいのです。

だから、**カットイメージとは何かを理解するためには、マンガのコマと映画のカットの両方をヒントにして、心の中を探っていくといい**でしょう。

ねぇちゃんは？
まだなのよー
おまたせ
どう？
……
ポリ
葬式なんだけど
わかってるわよう
最後のおじいちゃん孝行

カットイメージは、映画にもマンガにも似ていますが、やはりどちらとも違うものです。

それは、私たちの心の中にあり、私たちはそれを見たり聞いたりするだけでなく、五感で感じてその世界に入り込むこともできるからです。

Chapter 6
カットイメージ作業のしかた 江戸川乱歩『人間椅子』

1 カットイメージ分け第一段階のサンプル

カットイメージの理屈がわかったところで、実際にそれを体験していきましょう。

次に示すのは、**江戸川乱歩の短編『人間椅子』**の冒頭部分です。

本文中に入っている線は、私がやってみた例です。これが実際に行うカットイメージ分けの作業になります。

線と線で挟まれた範囲が、心の中の一枚のカットです。

説明の都合上、本文の下に①~⑧の番号を付け、その下に私のイメージをメモ書きしてあります。

実際の作業としては線を引くだけで、番号は書きませんし、イメージをことばで書く必要もありません。

ただ、セミナーなどでは何枚のカットになったかを聞くので、数える必要はあります。

そのために番号をふってもいいのですが、あとで考え直して線を足したり、消したりすることも多いので、通し番号を書いてしまうとかえって面倒です。

もちろん、絵を描くこともいっさいありません。絵を描くのが好きな方は描きたがりますが、**絵を描くよりも心の中の画をしっかり観ることの方が大切**です。心の中のイメージは視覚以外の五感を含み、絵では表現し切れない豊かな情報があるからです。

また、絵には上手下手がありますが、心の中の画は描画技術に束縛されず、自由に創造できる点も重要です。

なお、私の作業例は特定の正解を意味するものではありません。分け方もイメージ内容もあくまでも私の頭に浮かんだ個人的なものです。同じ小説を別々のマンガ家がマンガに描けば、それぞれ違ったコマ割りになるのと同じです。

ここでは、**カットイメージ分けのやり方を理解していただくためのサンプル**としてご覧ください。

私がどのような画をイメージしてそこで分けたのか、想像してみてください。同時に、あなたならどう分けるか、どうイメージするかも考えてみるといいでしょう。

佳子《よしこ》は、毎朝、夫の登庁《とうちょう》を見送ってしまうと、それはいつも十時を過ぎるのだが、やっと自分のからだになって、洋館のほうの、夫と共用の書斎へ、とじこもるのが例になっていた。そこで、彼女は今、K雑誌のこの夏の増大号にのせるための、長い創作にとりかかっているのだった。

美しい閨秀《けいしゅう》作家としての彼女は、このごろでは、外務省書記官である夫君の影を薄く思わせるほども、有名になっていた。彼女のところへは、毎日のように未知の崇拝者たちからの手紙が、幾通となく送られて来た。

けさとても、彼女は、書斎の机の前に坐《すわ》ると、仕事にとりかかる前に、先《ま》ず、それらの未知の人々からの手紙に、目を通さねばならなかった。

それはいずれも、極《きま》りきったように、つまらぬ文句のものばかりであったが、彼女は、女のやさしい心遣《こころづか》いから、どのような手紙であろうとも、自分にあてられたものは、ともかくも、ひと通りは読んでみることにしていた。

①②　③　④　⑤　⑥　⑦　⑧

① 玄関で夫を見送る佳子
② 十時五分を指す掛時計
③ 書斎に入る佳子
★閨秀作家＝女流作家
④ 机の上に書きかけの原稿用紙と万年筆
⑤ 文学賞の授賞式であいさつする佳子。少し後ろににこやかな紳士然とした夫の姿
⑥ デスク上の漆塗りの箱に入れられた郵便物
★けさとても＝けさも
⑦ 机の前にすわり、手紙を手に取る佳子
⑧ 一通の手紙を開き、読んでいる。

カットイメージ枚数　8枚

2 カットイメージ分けのルール

カットイメージ分けの手順が、ご理解いただけたでしょうか。

本文を読みながら、心に映像を思い浮かべ、別のカットになると思うところで、区切り線を入れます。

線は、本文の上から下まで引きます。そうすることで、**線と線で挟まれた本文が、1枚のカットイメージと対応している**ことが一目でわかります。

カギかっこなどで自己流のやり方にしないよう、この線引きのルールは守ってください。

なお、区切り線が段落の途中に入る場合は、1行目、2行目、4行目、8行目などのように、途中でカギ型に曲がります。とくに最初の一文は、句点（。）が来ないのに、読点（、）で分けています。

3

カットイメージを観ながら読む

一文の中であまり細かく考えてしまうと、とくに初心者は混乱しがちなので、句点（。）で区切るのを原則とし、このようにどうしても明確に違う画になる、というときだけ読点（、）で分けてもいいことにしています。

また、文章自体はナレーションで流れるイメージにしてもかまわないので、**内容をすべて映像化しなければならない、というものでもありません。**映画やマンガでも、ナレーションやト書きのように、必要に応じてことばによる説明を加えています。そうした映像化の例にならえばいいわけです。

さて、少し内容を見てみます。この小説は、江戸川乱歩の初期に属する短編で、1925年（大正14年）に発表されています。

ある程度はそうした時代背景を踏まえて、イメージをつくっていきます。

夫は外務省の官僚で、主人公の佳子は和風の母屋に洋館がついた屋敷に住んでいます。今とは比較にならないくらい社会階層の格差が激しい時代で、ある程度の上層階級だと考えていいでしょう。

さあ、佳子の年齢はどれくらいだと思いますか。

この範囲を読む限り年齢を限定する表現は見当たりませんが、作家として名が売れているることを考えると、20代では早すぎるので、30代なかばくらいかと想像しました。

この時代の女性は和服が普段着だと思われるので、私は和服でイメージしました。しかし洋装でも構いません。

実はこの小説を読んでいくと、洋装の方がいいかもしれないと思われる描写も出てきます。が、それはそのときにイメージを修正すればいいので、**まずは読んだ範囲の情報から具体的にイメージしていきます。**

さて彼女は夫を玄関で見送り、ふと振り返って時計を見て、書斎に入ります。

その書斎も、高級な家具・調度品に囲まれた贅沢なものでしょう。外務省勤めの夫と共用なので、立派な装丁の外国語の書籍が書棚に並んでいると思います。

6行目「美しい閨秀作家としての彼女は、此の頃では、外務省書記官である夫君の影を薄く思わせる程も、有名になっていた。」というのは、毎日ファンレターが届くことの理由説明なので、単純にナレーションで済ませてもいいのですが、少し頑張って「文学賞の授賞式」をイメージしてみました。映画などではよく使われるシーンなので、むしろありきたりかもしれません。

さて、8行目の「彼女のところへは、毎日のように未知の崇拝者たちからの手紙が、幾通となくやって来た」も、単なる説明で済まさず、机の上には漆塗りの文箱があって、そこに手紙が入っている、とイメージしました。

これらの郵便物はおそらく、その朝届いたものですが、佳子が自分でポストからとってきたものではないでしょう。当時、この階層の家では女中（お手伝いさん）を置いているのが普通なので、当然、女中が取ってきてそこに置いているのだと思います。

だから、夫を送り出した後、佳子は朝食の片付けも、洗濯物もせずに書斎にこもることができるのです。

そうした点を的確にイメージするには、やはり時代背景の知識は、ある程度必要です。ただ、背景知識がないとイメージできない、ということではなく、**今の自分の知識の範囲で想像して、その後、イメージできないところは調べたり、人に聞いたり情報を得て、イメージを修正し、具体化していく**のです。

この細かなカットイメージ分けはまだ「**第一段階**」で、あとでより少ない枚数にまとめる「**第二段階**」に進みます。

では、まずはあなた自身で、この続きを読み、「第一段階」の作業をやってみましょう。

Chapter 7

カットイメージ分け　第一段階

1 自分でカットイメージ分けをしてみる

江戸川乱歩『人間椅子』の冒頭、続きの部分です。
先ほどの説明を参考に、頭の中にイメージしながら、区切り線を入れてみてください。
くり返しますが、この作業では必ず鉛筆（シャープペン）、消しゴムを使います。
テキストの下に、イメージするヒントが書いてありますので、参考にしてください。

1

簡単なものから先にして、二通の封書と、一葉のはがきを見てしまうと、あとにはかさ高い原稿らしい一通が残った。別段通知の手紙は貰《もら》っていないけれど、そうして、突然原稿を送って来る例は、これまでにも、よくあることだっ

・封書、はがき、原稿らしき封筒を具体的にイメージする。手紙を読んでいく佳子の姿勢、表情なども。

た。それは、多くの場合、長々しく退屈きわまる代物《しろもの》であったけれど、彼女はともかくも、表題だけでも見ておこうと、封を切って、中の紙束を取り出してみた。

それは、思った通り、原稿用紙を綴《と》じたものであった。が、どうしたことか、表題も署名もなく、突然「奥様」という、呼びかけの言葉ではじまっているのだった。はてな、では、やっぱり手紙なのかしら。そう思って、何気なく二行三行と目を走らせて行くうちに、彼女はそこから、何となく異常な、妙に気味わるいものを予感した。そして、持ち前の好奇心が、彼女をして、ぐんぐん先を読ませて行くのであった。

奥様、

奥様のほうでは、少しも御存じのない男から、突然、このようなぶしつけなお手紙を、差し上げます罪を、幾重《いくえ》にもお許し下さいませ。

- 封を切るのは、手で？　ハサミ？　ペーパーナイフ？
- 佳子の心理の変化を追いながら、そのしぐさや表情としてイメージしてみよう。
- 原稿用紙の色や質感はどうか。新しいか、古いか。
- 手紙のインクの色、字の大きさは？　筆跡はどんなふうか。丁寧か、乱雑か。
- 手紙の内容は男の声で流れるようにイメージしてみてはどうか。声の年齢は？　高いか、低いか。口調は？

こんなことを申しあげますと、奥様は、さぞかしびっくりなさることでございましょうが、私は今、あなたの前に、私の犯してきました、世にも不思議な罪悪を告白しようとしているのでございます。

『江戸川乱歩傑作選』（新潮文庫）Ｐ２１８～２１９

カットイメージ枚数　　　　　枚

さあ、何枚のカットイメージに分かれましたか。書いておきましょう。

2

『人間椅子』冒頭後半　第一段階　作業例

次に私のやってみた例を示しますが、必ずあなた自身で線を引いてから見てください。

私の場合は、９枚になりました。

① 簡単なものから先にして、二通の封書と、一葉のはがき
② を見てしまうと、あとにはかさ高い原稿らしい一通が残っ
た。別段通知の手紙は貰《もら》っていないけれど、そうして、突
然原稿を送って来る例は、これまでにも、よくあることだっ
③ た。それは、多くの場合、長々しく退屈きわまる代物《しろもの》であ
ったけれど、彼女はともかくも、表題だけでも見ておこう
と、封を切って、中の紙束を取り出してみた。
④ 　それは、思った通り、原稿用紙を綴《と》じたものであった。
が、どうしたことか、表題も署名もなく、突然「奥様」と
⑤ いう、呼びかけの言葉ではじまっているのだった。はてな、
では、やっぱり手紙なのかしら。そう思って、何気なく二
⑥ 行三行と目を走らせて行くうちに、彼女はそこから、何と
⑦ なく異常な、妙に気味わるいものを予感した。そして、持
ち前の好奇心が、彼女をして、ぐんぐん先を読ませて行く
のであった。

①封書、はがきに目を通しては文箱に戻す。
②厚みのある封筒を手に少し考えている佳子。
③銀のペーパーナイフで封を切り、中身を取り出す。
④原稿冒頭のクローズアップ
⑤首を傾げながら、文字に目を走らせていく佳子の顔
⑥佳子の顔が、嫌悪感の表情に変わる
⑦好奇心の眼に変わり、引き込まれて読んでいく佳子の表情

15	
奥様、 　奥様のほうでは、少しも御存じのない男から、突然、このようなぶしつけなお手紙を、差し上げます罪を、幾重《いくえ》にもお許し下さいませ	⑧
こんなことを申しあげますと、奥様は、さぞかしびっくりなさることでございましょうが、私は今、あなたの前に、私の犯してきました、世にも不思議な罪悪を告白しようとしているのでございます。	⑨

⑧やや黄ばんだ原稿用紙に、病的な几帳面さでそろった小さめの文字。朗読の声は中年くらいだが高めで不明瞭。

⑨不安と好奇心の入り混じった表情で読んでいく佳子のアップに朗読の声が流れる。

カットイメージ枚数　　　枚

手紙の本文は、意味の切れ目を意識して別のイメージを浮かべ、二つに分けました。

くり返しますが、番号とイメージの説明は、参考にしていただくために書いています。**カットイメージの作業自体は、線を引くだけ**です。**きわめてシンプル**で、面倒なものではありません。

それはもともと、私が勤めてきた夜間定時制高校などの教室で、自分の考えを話したり、文章に書いたりするのが苦手な生徒でも、もれなく参加できるようにと考えたからです。

しかし、**線を引きながら頭はフル回転させ、具体的なイメージを描き、味わおうとすることが重要です。**

では、私の作業例と比較して、あなた自身の作業をふり返ってみてください。

まず、カット枚数は9枚でなくてもいいですが、もし3、4枚という方がいたら、それは少なすぎます。

人物の表情の変化や心理的ニュアンスを読み過ごしているかもしれません。例に示したように、丁寧に読めば佳子の表情の変化も別の画としてイメージできるのです。

自分の分け方が少なすぎたと感じたら、もう一度、作業しなおしてみてください。

3

カットイメージで心理変化を追う

ここでの佳子の心理変化をカットイメージで追っていくと、次のようになるでしょう。

①では、いつも通りの作業をこなす表情で、封書、はがきに目を通しています。

②で、分量の多い封書にとりかかることにするが、よくあるケースで、予告もなく原稿を送ってきたものだろうと考えています。

③で、とりあえず表題だけでも見ておこうと封を切るわけで、まだ平静な表情です。

④⑤では、いきなり「奥様」と始まっているのを見て、原稿か手紙か判断しかねて、何気なく2、3行、目を走らせていきます。

⑥で異常さ、気味悪さに眉をひそめますが、⑦になると、もう持ち前の好奇心に駆られた表情で読み進めていきます。

このように、**カットイメージをきちんと思い浮かべて読んでいくと、人物の心理変化を緻密に見ていくことができる**のです。

さて、第一段階の細かなカットイメージ分けができたところで、第二段階に進みます。

Chapter 8

カットイメージ分け　第二段階

1 代表的なカットイメージを見つけて流れをつかむ

第一段階の丁寧なカットイメージ分けを踏まえて、次に、イメージを整理して全体の流れをつかむ、第二段階の作業に進みます。

ここまでのテキストを通して見ると、私の例では、17枚のカットに分かれています。

これを頭の中で**5枚以内の代表的な画**にまとめます。

マンガで描いていたものを、紙芝居にする、と考えてみるとわかりやすいかもしれません。

あるいは、映像のコンテンツ（目次）づくりです。

このときに頭の中で行う作業としては、２種類あります。

一つは17枚の**カットの中から選ぶ**ことです。うまく代表した画があれば、それで済むこともあります。

もう一つのやり方は、カットを合成したり変形したりして、**新たなカットをつくる**ことです。こちらの方が多いと思います。

まず**第一段階のカットから選ぶことを試してみて、うまくいかないところは、新たなカットをつくる**、という手順がいいでしょう。

では、本文全体を読み直し、ちょっと考えてみてください。

自分なりの答えを出してから、次を読んでください。

私の場合は、次の４枚の画にまとめました。

（1）玄関で夫を送り出す佳子。背後の時計は10時過ぎ。

（2）書斎の机に向かい、手紙の整理を始める佳子。

（3）封筒から原稿用紙の束を取り出し、首を傾げる佳子。

（4）原稿用紙の画像と好奇心で読み進む佳子の顔が重なる。そこに手紙の朗読ナレーション。

あなたはどうでしょうか。

鉛筆を持って行う作業としては、頭の中にいくつかの代表イメージを並べながら、その区切りを本文中に見つけ、線を下まで伸ばします。

5枚以内が目標ですが、**最初は多めに分け、そこから枚数を減らしていく方法が有効です。**

数枚の画を頭の中に並べて、それで物語の流れがわかるだろうかと考えます。流れはつながるが6枚以上だとしたら、どれかを捨てるか、2枚の画を合成できないか、などと考えます。

ナレーションをつけることで画を減らせることもあります。

そうして画を整理していく過程で、場面と場面の関係を考えたり、場面の重要度を比較・判断したりして、物語の構成や意味への気づきを深めていくのです。

さて、そうして頭の中で場面を整理しながら、大きな区切りを文中に見つけていきます。その区切りは、**第一段階の線を下に延ばす**ことで示します。そのために、本文の下に帯状の余白が取ってあったのです。これが、第二段階の線を延ばすための場所です。

この切れ目は必ず、第一段階で引いた線のどれかを延ばす形になります。第一段階で引いていない位置に大きな区切りを入れることはありません。

2

形式段落よりイメージを優先する

では、私が分けた例を示します。四つの代表的なカットに対応させて、3か所の区切り線を延ばしました。ここではわかりやすいように区切りを太線にしてありますが、実際の作業では線を下に延ばすだけで十分です。

佳子《よしこ》は、毎朝、夫の登庁《とうちょう》を見送ってしまうと、それはい①②
つも十時を過ぎるのだが、やっと自分のからだになって、③
洋館のほうの、夫と共用の書斎へ、とじこもるのが例にな
っていた。そこで、彼女は今、K雑誌のこの夏の増大号に④
のせるための、長い創作にとりかかっているのだった。
　美しい閨秀《けいしゅう》作家としての彼女は、このごろでは、外務省⑤
書記官である夫君の影を薄く思わせるほども、有名になっ
ていた。彼女のところへは、毎日のように未知の崇拝者た⑥
ちからの手紙が、幾通となく送られて来た。
　けさとても、彼女は、書斎の机の前に坐《すわ》ると、仕事にと⑦
りかかる前に、先《ま》ず、それらの未知の人々からの手紙に、
目を通さねばならなかった。
　それはいずれも、極《きま》りきったように、つまらぬ文句のも⑧
のばかりであったが、彼女は、女のやさしい心遣《こころづか》いから、
どのような手紙であろうとも、自分にあてられたものは、
ともかくも、ひと通りは読んでみることにしていた。

（1）玄関で夫を送り出す佳子。背後の時計は十時過ぎ。

（2）書斎の机に向かい、手紙の整理を始める佳子。

簡単なものから先にして、二通の封書と、一葉のはがきを見てしまうと、

⑨ あとにはかさ高い原稿らしい一通が残った。別段通知の手紙は貰《もら》っていないけれど、そうして、突然原稿を送って来る例は、これまでにも、よくあることだった。

⑩ それは、多くの場合、長々しく退屈きわまる代物《しろもの》であったけれど、彼女はともかくも、表題だけでも見ておこうと、封を切って、中の紙束を取り出してみた。

⑪ それは、思った通り、原稿用紙を綴《と》じたものであった。が、どうしたことか、表題も署名もなく、突然「奥様」という、呼びかけの言葉ではじまっているのだった。

⑫ はてな、では、やっぱり手紙なのかしら。そう思って、何気なく二行三行と目を走らせて行くうちに、

⑬ 彼女はそこから、何となく異常な、妙に気味わるいものを予感した。

⑭ そして、持前の好奇心が、彼女をして、ぐんぐん先を読ませて行くのであった。

（3）封筒から原稿用紙の束を取り出し、首を傾げる佳子。

（4）原稿用紙の画像と好奇心で読み進む佳子の顔が重なる。そこに手紙の声が流れる。

35

奥様、
　奥様のほうでは、少しも御存じのない男から、突然、このようなぶしつけなお手紙を、差し上げます罪を、幾重《いくえ》にもお許し下さいませ
⑮

　こんなことを申しあげますと、奥様は、さぞかしびっくりなさることでございましょうが、私は今、あなたの前に、私の犯してきました、世にも不思議な罪悪を告白しようとしているのでございます。
⑯

区切り線の位置をよく見てください。通常、大きな場面分けは形式段落（改行のところ）と一致すると考えるのが普通でしょう。しかし、ここでは2か所、形式段落とは異なった位置で、しかも読点（、）での区切りを伸ばしています。

その前の形式段落で切ってもいいかとは思うのですが、カットイメージの切り換わるポイントを丁寧に見ていくと、こちらの方が適切だと思われるのです。

よくイメージしながら読んで、私の言っている意味を確かめてみてください。

もちろん、それには異論（異なったイメージのしかた）はあると思います。しかし、

大切にすべきはあなた自身の頭の中のイメージであって、形式段落にとらわれる必要はない、ということを理解していただきたくて、あえて形式段落よりもイメージを優先する切り方を示しました。

3

「5枚以内」の意味と物語の展開構成

なお、「5枚以内」というのは、物語の構成を一目で理解できるという意味で決めた目安です。心理学では、「マジカルナンバー7」と言って、人間が同時に認知できるチャンク（塊）の数は7±2と言われています。私はわかりやすさを優先して、7－2＝5を採用しています。

6枚か7枚にまとめた方がいい、という場合もありますが、苦しいところを頑張って5枚以内にまとめることで、場面の意味を深く考え、物語の内容について気づきがある、ということも少なくありません。

今回、『人間椅子』の冒頭は4枚にまとめましたが、ここには、**起承転結**の展開を見ることができます。

1枚目で、佳子が玄関で夫を送り出し、書斎に入るところが物語の発端（**起**）です。

2枚目で書斎の机に向かい、手紙の整理を始める佳子のカットですが、そこで彼女が人気作家であり、毎日来る見知らぬ人からの手紙に目を通す習慣であることが語られます。これが「承」です。

3枚目が、不審な原稿用紙の束に首を傾げる佳子ですが、作家志望者が勝手に送りつけた原稿かと思えば、書き出しは手紙のようです。謎のものが出現し、これが「転」になります。

4枚目で、佳子はその手紙に気味の悪さを感じつつ、好奇心で読み進みます。すると、そこには、罪悪の告白をすると書かれているのです。この範囲では一応の「結」となります。

読者を引き込んでいく物語は、このような小さな起承転結をくり返していることが少なくありません。

ますます次を読みたくなる展開ですが、残念ながら本書でご紹介するのはここまでです。「江戸川乱歩　人間椅子」で検索していただくと、『人間椅子』を収録した短編集はいくつか見つかりますし、手近なところでは、インターネットの電子図書館「青空文庫」でも読むことができます。

江戸川乱歩原作の映画やドラマは、エログロの猟奇的な雰囲気に脚色されることが多いですが、小説自体はそれほどでもありません。『人間椅子』も決して毒の強い作品ではないので、エログロが苦手な方でも安心して読んでいただけると思います。

Chapter 9

ボトムアップの二段階まとめ

以上がカットイメージの基本作業になります。

ここで大切なのは、通常の段落分け作業などとは順序が違うということです。皆さんは学校で、文章を読んでいくときにはまず、大きく分けてから細かく見ていくというやり方を習ってきたと思います。

しかしここでは手順が逆になっています。

まず細かなカットイメージ分けをしてから、その後で大きな区切りを見つけていきます。こういうやり方を「**ボトムアップ**」と言います。下から積み上げていく方式で、組織の在り方として、現場からの声を重視する場合などにも使われることばです。

その逆が「**トップダウン**」です。上役が決めた指示を上意下達で現場に下ろしてくる場合などに使います。

今までの文章の教え方は、「トップダウン」中心だったので、細部をしっかり読むことができなかったのではないかと、私は考えています。

全体をおおざっぱに分けて、それでわかったつもりになると、もう細かい部分を丁寧に読む気はしなくなります。それがいいか悪いかではなく、人間の認知機能の自然な働きです。

私たちの脳は、「わからない」ものはわかろうとしますが、わかっていったんレッテル貼りしたものはそのレッテルに従って処理すればいいので、脳はそれ以上、「わかろう」とはしなくなるのだと思います。

小説を読む場合で言えば、先に全体を大きく分けて「わかった」と思うと、細部を読む意欲は減退します。それなのに、国語の授業ではたいてい最後までざっと読み通し、ストーリーがわかってしまったものを、大きく分け、それから細部を見ていきます。これも、国語の授業がつまらない原因の一つです。

カットイメージでは、逆にまず細かなカットを見つけていくことで、細部を読み飛ばさずに丁寧に読んでいきます。そうしてつくられた詳細なイメージ世界を、より大きな視点で見たらどうか、と考えて大きなまとまりを見つけていくのです。

その結果、『人間椅子』の例では、第二段階の大きな切れ目が形式段落と必ずしも一致しませんでした。**最初から形式段落でおおざっぱに分けていったのでは、決してたどり着けない気づきが、そこに起こる**のです。

授業やセミナーでは、こうした気づきを交流することが、とても楽しい学び合いになります。

以上の二段階作業を理解していただければ、この手順でさまざまな作品を読んでいくことができます。

では、次の章から、さらにその体験を深めていきましょう。

第4章

カットイメージで、小説を読む楽しさを再発見する

Chapter 10

発明としてのカットイメージ

初めてのカットイメージ体験はいかがでしたか。

区切り線を引くだけのシンプルな作業ですが、心に浮かぶイメージについて何か気づきがあり、今までとは違う読みの体験が得られたでしょうか。

カットイメージ分け二段階作業の手順は理解していただけたと思いますが、カットイメージの基本的なやり方は、これですべてといっても過言ではありません。

私は**「教育方法の発明家」**を志し、自分の情報発信サイトを**「教育エジソン」**と名づけています。「発明」とは、細かな技術改良ではなく、シンプルな原理を、今まで誰も思いつかなかったアイデアで実用化したものだと、私は考えています。そうした「発明」に、私はずっと憧れてきました。

たとえば、エジソンの蓄音機はそうした発明です。音声の振動を一定速度で回る固体の上に刻みつけていけば、そこから元の音を再生できる。その原理的なアイデアを形にしたエジソンの発明があったからこそ、それに続く人々がさまざまな技術開発を加え、音響技術が発展していったのです。

その意味で**カットイメージは、小説を読んでイメージする脳の働きを引き出すために、原理的な方法論を提示できた**と思っています。

だから、親しい友人たちに初めてカットイメージの話をし、簡単に体験してもらったとき、「これはまさに発明だね」と言われ、最高にうれしかったのを覚えています。

将来、この「カットイメージ」という方法論を使って、多くの方がさまざまな小説を読み、話し合い、あるいは授業をすることで、多彩な応用のしかた、小説の楽しみ方が広がっていくのだと思います。

もちろん、私自身もこれを実践する中で、いくつかの応用方法を考案していますので、それもおいおい体験していただきます。

しかしそれらはやはり応用技術であって、カットイメージという根本的な発明を超えることはできないのです。

では、ここからは、カットイメージを用いて実際にいくつかの作品を読み、小説を読む楽しさを再発見していただきたいと思います。

Chapter 11

内海隆一郎『子猫』前半

1 前半を熟読すると後半のおもしろさが実感できる

これから読んでいく**内海隆一郎**さんの作品は、毎日新聞の日曜版に連載されたシリーズの一編です。どこの町や家庭でもありそうなささやかなエピソードを描いた、ほのぼのとした読後感の残る掌編小説群です。『**街の眺め**』という作品集にまとめられています。

今回は、その中から『**子猫**』を取り上げます。

ごく短いものですが、それを前・後編に分けて読んでいくことにします。

前半をしっかりカットイメージで熟読したうえで後半を読むと、物語の意味が深く腑におちて、小説を読む楽しさが実感できます。

そのためには、決して後半を読まずに前半のカットイメージ作業にしっかり取り組んでください。

2 カットイメージ分け　第一段階の作業をしてみよう

では、次の小説を読んで、第一段階の細かなカットイメージで区切り線を入れていきます。

本文の下にあるのは、**イメージ化のためのヒント**です。これが煩わしい方は、気にせず自分なりにイメージして進めてください。

第一段階が終わったら、本文の後の解説を読んでください。第二段階作業の指示は、その解説のあとにあります。

この段階で、5枚程度にしか分けない方がいますが、それは、第二段階の作業で、紙芝居レベルの分け方です。

文章は短いようですが、第一段階ではマンガのコマや映画のカットのようにイメージしていくので、少なくとも10枚以上にはなると思います。

では、やってみましょう。

雨の夜、学習塾からの帰りに、娘が子猫を拾ってきた。両手に包み込めるほどのやせた小さな躰《からだ》は、薄汚れた白黒の斑《ぶち》だった。

「そんな猫を家のなかに入れてはダメだ」

西野さんは、子猫を抱いて玄関先に立っている娘を叱った。濡れそぼった子猫は、西野さんを見上げて、か細い声でないた。

西野さんの脳裏に、知人の家のありさまが浮かんでいた。猫のいるその家では、障子は破け放題、柱や畳は爪跡だらけだった。

ようやく新築したばかりの家を、あんなふうにされては堪《たま》らない。

住宅ローンの返済には、二十年もかかるのである。

西野さんはふだんになく厳しい顔つきで娘と子猫をにらみつけた。

しかし娘が半泣きになって頼むので、明日は必ず捨ててくるという約束で、その夜は止《や》むなく廊下の隅に泊めるこ

・娘は何年生くらい？

・どんな玄関？　造りは？　広さは？　娘は玄関の中？　外？

・西野さんの年齢、風貌、服装、体形は？

・どんな家？

・障子や畳→新築なのに？　時代が前では？

とにした。

　翌朝、西野さんは腕をくすぐられている感じがして、目を覚ました。

　いつの間に寝室に入ってきたのか、子猫がしきりに腕の肌を吸っていた。母猫の乳房を探しているような仕種《しぐさ》だった。

　西野さんは子猫を摑《つか》み上げて、台所へ行った。冷蔵庫から牛乳を出して、小皿に注《そそ》いだ。

　無心に牛乳をなめている子猫を、台所の床にあぐらをかいて眺めた。

　なぜか、西野さんの目は潤んでいた。

　奥さんと娘の忍び笑いが背後に聞こえた。西野さんは、あわてて怒鳴りつけた。

「なにがおかしい。……見ろ、こんなに腹をすかせてるのに、なんで放っておくんだ」

　その一言で、新築の家を案ずる西野さんにとって不本意ながら、子猫の処遇は改められることとなった。

- 廊下の隅とはどんな位置？　猫はどんなふうに寝ている？
- 西野さんの寝室は、畳に布団？　洋室にベッド？
- 子猫はどんなふうに腕のどこを吸っている？
- 西野さんのねまきは浴衣？　パジャマなら長袖か半袖か
- 台所はどんなつくり？　奥さんと娘はどこから見ている？　彼らの服装は？

第一段階　カット枚数　　　　枚

何枚のカットに分かれたでしょうか。

必ず、自分が納得のいくまでカットイメージ分けを完了してから、次を読んでください。

3

カットイメージ分け　第一段階の実施例

次に、私がやってみた例を示します。

① 雨の夜、学習塾からの帰りに、娘が子猫を拾ってきた。

② 両手に包み込めるほどのやせた小さな躰《からだ》は、薄汚れた白黒の斑《ぶち》だった。

③ 「そんな猫を家のなかに入れてはダメだ」
西野さんは、子猫を抱いて玄関先に立っている娘を叱った。

④ 濡れそぼった子猫は、西野さんを見上げて、か細い声でないた。

⑤ 西野さんの脳裏に、知人の家のありさまが浮かんでいた。

猫のいるその家では、障子は破け放題、柱や畳は爪跡だらけだった。

⑥ ——ようやく新築したばかりの家を、あんなふうにされては堪《たま》らない。

住宅ローンの返済には、二十年もかかるのである。

⑦ 西野さんはふだんになく厳しい顔つきで娘と子猫をにらみつけた。

⑧ しかし娘が半泣きになって頼むので、明日は必ず捨ててくるという約束で、その夜は止《や》むなく廊下の隅に泊めることにした。

⑨ 翌朝、西野さんは腕をくすぐられている感じがして、目を覚ました。

⑩ いつの間に寝室に入ってきたのか、子猫がしきりに腕の肌を吸っていた。母猫の乳房を探しているような仕種《しぐさ》だった。

⑪ 西野さんは子猫を摑《つか》み上げて、台所へ行った。冷蔵庫から牛乳を出して、小皿に注《そそ》いだ。

⑫ 無心に牛乳をなめている子猫を、台所の床にあぐらをか
いて眺めた。
⑬ なぜか、西野さんの目は潤んでいた。
⑭ 奥さんと娘の忍び笑いが背後に聞こえた。西野さんは、
⑮ あわてて怒鳴りつけた。
「なにがおかしい。……見ろ、こんなに腹をすかせてるの
に、なんで放っておくんだ」
⑯ その一言で、新築の家を案ずる西野さんにとって不本意
ながら、子猫の処遇は改められることとなった。

私の場合は、16枚になりました。くり返し言いますが、これが正解というわけではありません。**ご自分の枚数、分け方とどこが違うか比較して、あなたの心の中のイメージをふり返ってみてほしいです。**

そのための参考として、私はどのようなイメージを思い浮かべたのか、書いてみます。

①リュックを背負った娘が玄関の中でうつむいて立ち尽くしています。玄関のドアは開

いたまま、外は薄暗く、雨音が響いています。

娘は何年生くらいでしょうか？　最初は3年生くらいを自然にイメージして読んでいたのですが、学習塾に行っているので、あまり低学年とは思えません。そこで、5年生くらいにイメージを修正しました。
②娘の両手のひらに乗せられた子猫の姿です。
③娘の視点から見上げるようなアングルで、上がり框《かまち》に仁王立ちして腕組みをした西野さんの姿。40代でがっしりとした体格です。
④再び猫のアングルですが、顔を西野さんの方に向け弱々しく鳴き声をあげています。
⑤西野さんの頭に浮かぶ、知人の家の光景。
⑥西野さんの横顔の後ろに、知人の家の光景と「住宅ローン二十年」と書かれた大きな袋を背負って背広姿で歩き続ける西野さんの姿が浮かんでいる、風刺マンガのような映像が浮かびました。
⑦西野さんの厳しい顔、その右には娘と子猫。西野さんの頭の後ろには、知人の家と住宅ローンを背負った自分の二つの画像が小さく残っています。
⑧薄暗い廊下の隅に小さな段ボール箱。その中にはタオルを敷いて子猫が寝ています。「しかし娘が〜」の文自体はナレーションで。
⑨横向きに寝た西野さんが目覚めかけて、おや、という表情。肩から上だけの映像です

が、半袖パジャマで和室の布団に寝ています。

⑩西野さんの前腕の内側を吸う子猫のクローズアップ。

⑪子猫をつかんで歩いていく映像と、冷蔵庫の前で牛乳を皿に注ぐ映像を上下に（少し斜めに）並べて1枚の画面に。

⑫子猫と西野さん。

⑬目を潤ませた西野さんの顔のアップ。

⑭手前に西野さん、後ろに台所の入口から顔をのぞかせて笑っている奥さんと娘。

⑮振り向いて怒鳴る西野さん。

⑯「しかたがない」という顔で子猫を見下ろす西野さんの顔と並んで、後ろから一緒にのぞき込む笑顔の奥さんと娘。文はナレーションで。

というのが、私の頭に浮かんだカットイメージです。

さて、舞台となっているこの新築の家をあなたはどう想像したでしょうか。

知人の家のありさまで「障子」、「畳」とあります。西野さんの家も新築とはいえ、障子や畳があるからこそ、猫を警戒するのでしょう。

また、西野さんの寝室を洋間にベッドと想像した方もあると思いますが、ベッドでは子猫が自力で上がれないので不自然です。そう考えると、自然と和室に布団という設定になるので、やはり和室中心の間取りでしょう。

戸建てで洋間が主流となったのは１９８０年代ころからでしょうか。この小説が連載されたのは、１９８０年代後半なので、それ以前の時代を舞台にしている感じがします。

このように**読みながら自分の心に浮かぶイメージを確かめていきますが、読み進むにつれて、新たな情報が得られると、つじつまが合うようにイメージを修正していきます。**

玄関のつくりにしても最初は洋風の玄関を思い浮かべて読んでいきますが、和室中心の間取りだとわかると、変わってくるかもしれません。

私のイメージをヒントにして、あなたの心の中のイメージをよく探ってください。

「自分も同じイメージだ」と共感しても、あなたのイメージと私のイメージは決して同じではありません。

また、「自分の想像は違う」と感じることは、あなた自身のイメージをより具体化するきっかけになるので、とても重要です。

いずれにしても、**私のイメージを読んで共感したり反発したりしながら、あなた自身のイメージをつくっていっていただければいい**のです。

4

カットイメージ分け　第二段階をやってみよう

では、第一段階のイメージをベースにして第二段階に進みます。

ここでのストーリーを5枚以内の少ない画にまとめてください。

先ほどのテキストを読み返し、大きな区切りを見つけて、第一段階の線を伸ばします。

4か所伸ばせば5枚の画になります。

しかし、区切りを見つけることだけが目的ではありません。

頭の中に5枚の代表的な画を思い浮かべ、**それでストーリーがつながるか、大事な場面が画として活かされているか、と考えることが大切**です。画の大切さ、優先順位をしっかり考えて、画を取捨選択し、必要に応じて合成します。

必ずあなた自身で考えて、実際に答えを書き込んでから次を読んでください。

5

5枚に絞り込む

実際に私がやってみた例を示します。

ご自分の結果と照らし合わせてみてください。

① 雨の夜、学習塾からの帰りに、娘が子猫を拾ってきた。

② 両手に包み込めるほどのやせた小さな躰《からだ》は、薄汚れた白黒の斑《ぶち》だった。

③ 「そんな猫を家のなかに入れてはダメだ」
西野さんは、子猫を抱いて玄関先に立っている娘を叱った。

④ 濡れそぼった子猫は、西野さんを見上げて、か細い声でないた。

⑤ 西野さんの脳裏に、知人の家のありさまが浮かんでいた。猫のいるその家では、障子は破け放題、柱や畳は爪跡だらけだった。

⑥ ようやく新築したばかりの家を、あんなふうにされては堪《たま》らない。
住宅ローンの返済には、二十年もかかるのである。

⑦ 西野さんはふだんになく厳しい顔つきで娘と子猫をにらみつけた。

⑧ しかし娘が半泣きになって頼むので、明日は必ず捨ててくるという約束で、その夜は止《や》むなく廊下の隅に泊めるこ

（1）玄関先の娘と子猫。それを叱る西野さん

（2）猫のいる知人宅の様子、住宅ローンなどをイメージして娘と猫をにらみつける西野さん

とにした。

⑨ 翌朝、西野さんは腕をくすぐられている感じがして、目を覚ました。

⑩ いつの間に寝室に入ってきたのか、子猫がしきりに腕の肌を吸っていた。母猫の乳房を探しているような仕種《しぐさ》だった。

⑪ 西野さんは子猫を摑《つか》み上げて、台所へ行った。冷蔵庫から牛乳を出して、小皿に注《そそ》いだ。

⑫ 無心に牛乳をなめている子猫を、台所の床にあぐらをかいて眺めた。

⑬ なぜか、西野さんの目は潤んでいた。

⑭ 奥さんと娘の忍び笑いが背後に聞こえた。西野さんは、

⑮ あわてて怒鳴りつけた。

「なにがおかしい。……見ろ、こんなに腹をすかせてるのに、なんで放っておくんだ」

⑯ その一言で、新築の家を案ずる西野さんにとって不本意ながら、子猫の処遇は改められることとなった。

（3）西野さんが目を覚ますと、子猫が腕を吸っている

（4）台所で猫に牛乳をやり、目を潤ませる西野さん。後ろで奥さんと娘の忍び笑い

（5）振り向いて奥さんと娘を怒鳴りつける西野さん

異論があるかもしれないのは、第一段階で⑧番をつけた、猫を廊下に泊める画です。私の感覚では、他の画の重要度と比べると、⑧は前後の話をつなげるための状況説明に過ぎないと考え、ナレーションで十分かな、と思います。早い段階から私の頭の中では除外されている画です。

これにこだわって残した方もいると思います。正解か不正解かではなく、なぜそれを残す必要があるか、自問自答してほしいのです。

残せる枚数は限られているので、**どれかを残せばどれかを捨てざるを得ないという相対的な重要度の判断**です。

ここを単純に正解不正解で決めてしまうのではなく、頭の中にカットイメージを並べて考えることが大切です。その結果、自分自身の作品理解ができていくのです。

私が絶対抜かせないと感じるのは、真ん中にある「西野さんが目覚めたら子猫が腕を吸っていた」画です。

これが物語の転換点です。

これさえ残せば、(1)と(2)、(4)と(5)はそれぞれ画を合成して1枚にし、全体を3枚にまとめることもできます。もしかしたら、そうした方もいるかもしれません。

あるいは、⑧をどうしても残したければ、⑦までを1枚にし、⑧を2枚目、あとは(3)(4)(5)で5枚にするのもあると思います。

あなたはいかがですか。5枚というのはかなり融通の利く数なので、いろいろな切り方、配列のしかたを試してみて、自分なりにスッキリする答えを見つければいいのです。

「何が正解か」という発想ではなく、**区切り方を変えれば、どんな5枚以内の画になり、その配列にどんな意味が出てくるのか、それを考えるプロセス**を、ぜひ楽しんでみてください。

では、後半を読んでいきましょう。

Chapter 12

内海隆一郎『子猫』後半

1　カットイメージ分け　第一段階の作業をしてみよう

では、後半も第一段階のカットイメージ分け作業から取り組みましょう。
必ず自分でやってみてから次を読んでください。

> やがて心配したとおり、障子は破かれ、畳はささくれ立ち、床柱は満身創痍《そうい》となった。
> 西野さんは渋い顔をしたが、奥さんや娘に文句を言うわけにはいかなかった。
> 家族のなかで、いちばん子猫を可愛がっていたのは、ほ

・部屋の様子、西野さんの表情は？

かならぬ西野さんだからだ。

　子猫のほうも誰よりも西野さんになついていて、いつもその大きな膝の上で寝ていた。

　それから十年が経ったいまでも。

　子猫との合縁奇縁はあの朝がきっかけだ、と西野さんは思っている。腕を吸われたときの感覚を、まざまざと覚えている。

「こいつが、わたしを母猫と間違えてなあ。一生懸命に腕を吸っていたんだよ」

　両腕に余るほど大きくなった猫を撫でながら、西野さんはよくその話をする。

　しかし、幼時に母親を亡くした西野さんの、十年前の朝の切ない思いは、奥さんにも娘にも洩らしていない。

　あの朝、西野さんは写真でしか見たことのない母親と、夢のなかで会っていたのだ。子供に返った西野さんが母親と遊んでいて、ふと目を覚ますと、すぐそばに子猫がいたのだった。

・十年の時の変化
　昔のカットと今のカットの切り換えは？
・十年後の西野さんの風貌、体形の変化
・猫の変化
・話をする西野さんの表情は？聞き手は誰？
・回想シーンにどう入っていくか
　夢のシーンは？

あのとき中学生だった娘は二十三歳になっているが、自分が子猫を拾ってきた夜の経緯など、とうに忘れてしまっている。だが、不思議に翌朝のことだけは、はっきりと覚えている。きっと、母親と二人だけの秘密があるからだろう。

あの朝、奥さんと娘は、西野さんの寝室へひそかに子猫を抱いていった。そして、眠っている西野さんの腕に、奥さんが牛乳をちょっぴり塗っておいたのだ。

この秘密は、いまなお固く守られている。

子猫は、すでに老猫となって、相変わらず西野さんの大きな膝を占領している。

内海隆一郎著『街の眺め』（毎日新聞社） P194〜196

※原文にないルビを追加したところがあります。

- 二十三歳の娘はどんなふう？
- それがどう回想シーンにつながるか
- 回想からまた現在にどう戻るか。カットのつなぎもイメージする
- 最後のカットはどんなふうか

第一段階　カット枚数　　枚

何枚のカットに分かれたでしょうか。

必ず自分が納得のいくまでカットイメージ分けを完了してから、次を読んでください。

2 カットイメージ分け　第一段階の実例

次に、私がやってみた例を示します。

① やがて心配したとおり、障子は破かれ、畳はささくれ立ち、床柱は満身創痍《そうい》となった。

② 西野さんは渋い顔をしたが、奥さんや娘に文句を言うわけにはいかなかった。

家族のなかで、いちばん子猫を可愛がっていたのは、ほかならぬ西野さんだからだ。

③ 子猫のほうも誰よりも西野さんになついていて、いつもその大きな膝の上で寝ていた。

④ それから十年が経ったいまでも。

⑤ 子猫との合縁奇縁はあの朝がきっかけだ、と西野さんは

思っている。腕を吸われたときの感覚を、まざまざと覚えている。

⑥「こいつが、わたしを母猫と間違えてなあ。一生懸命に腕を吸っていたんだよ」

両腕に余るほど大きくなった猫を撫でながら、西野さんはよくその話をする。

⑦しかし、幼時に母親を亡くした西野さんの、十年前の朝の切ない思いは、奥さんにも娘にも洩らしていない。

⑧——あの朝、西野さんは写真でしか見たことのない母親と、夢のなかで会っていたのだ。子供に返った西野さんが母親と遊んでいて、
⑨ふと目を覚ますと、すぐそばに子猫がいたのだった。

⑩あのとき中学生だった娘は二十三歳になっているが、自分が子猫を拾ってきた夜の経緯など、とうに忘れてしまっている。だが、不思議に翌朝のことだけは、はっきりと覚えている。きっと、母親と二人だけの秘密があるからだろう。

30

⑪ あの朝、奥さんと娘は、西野さんの寝室へひそかに子猫を抱いていった。
⑫ そして、眠っている西野さんの腕に、奥さんが牛乳をちょっぴり塗っておいたのだ。
⑬ ——この秘密は、いまなお固く守られている。
⑭ 子猫は、すでに老猫となって、相変わらず西野さんの大きな膝を占領している。

カットイメージの枚数は14枚になりました。

それぞれがどんな画なのか、私の頭に浮かんだイメージを書いてみます。ご自分の切り方やイメージと比較して考えてみてください。

①傷だらけになった家の様子。
②傷ついた柱を見て苦笑いのような西野さん。それを笑って見ている奥さんと娘。
③畳の居間であぐらをかく西野さん。その膝の上に猫が寝ている。
④同じ形のまま西野さんは白髪と皺が増え、猫は丸々と太っている。
⑤猫を膝に置いたまま、西野さんは上を見上げ、思い出にふける表情。
⑥猫を撫でながら、お客に昔話をする西野さん。

⑦ふと遠くを見るような西野さんの横顔。
⑧寝ている西野さんの頭上に浮かぶ夢の情景。花畑でゆかたを着た2歳くらいの西野さんと、着物姿の母親が手をつないで笑っている。
⑨目を覚ました西野さんが腕を吸っている子猫を見ている。
⑩すっかり大人になった娘の横顔。当時の思い出にふける表情。文章をナレーションで。
⑪娘の頭の上に浮かぶ、母親と二人で、西野さんの寝ているそばに子猫を置いた情景。
⑫西野さんの腕に人差し指で牛乳を塗る奥さんの姿。
⑬澄まし顔で西野さんの前をすれ違う奥さんと娘。
⑭畳の居間であぐらをかく西野さん。その膝の上に猫が寝ている（④と同じ）。

いかがでしょうか。

9行目で10年が経つのですが、基本的に画のポーズは変わりません。そのまま、玉手箱を開けたように、西野さんも猫も歳をとっています。

それから、西野さんの秘密、そして母娘の秘密が、それぞれ読者に明かされます。

ここで意外なのは、娘の年齢ではないでしょうか。23行目に「あのとき中学生だった娘は」とありますが、前半を読んで中学生とイメージした方はどれほどいるでしょうか。

冒頭の「学習塾の帰りに」というのが実は根拠で、確かに当時、夜に学習塾へ行くのは中学生が主流だったかもしれません。常識も時代とともに変わるので、難しいところです。

でも、ここまで明確に「中学生」と書かれると、「小学生」のイメージは間違いということになるのですが、私の中では、小学生のイメージで固まってしまっていて、中学生に修正するのはちょっと無理があります。

物語理解の上でも、とくに支障があるとは思えないので、なんとなく小学生のままでイメージしています。

こういったことも自覚できたり、話し合えたりすることが、カットイメージのおもしろさです。

2

第二段階　大きなカットイメージまとめ

では、第二段階に移ります。5枚以内のカットでまとめたらどうなるでしょうか。

先ほど第一段階の作業をしたテキストで、3〜4か所、大きな区切りを見つけ、線を延ばしてください。

では、実際にやってみてから、次を読んでください。

どうでしょうか。
次に私がやってみた例を示します。

①　やがて心配したとおり、障子は破かれ、畳はささくれ立ち、床柱は満身創痍《そうい》となった。

②　西野さんは渋い顔をしたが、奥さんや娘に文句を言うわけにはいかなかった。

家族のなかで、いちばん子猫を可愛がっていたのは、ほかならぬ西野さんだからだ。

③　子猫のほうも誰よりも西野さんになついていて、いつもその大きな膝の上で寝ていた。

④　それから十年が経ったいまでも。

⑤　子猫との合縁奇縁はあの朝がきっかけだ、と西野さんは思っている。腕を吸われたときの感覚を、まざまざと覚えている。

（1）傷だらけの和室であぐらをかいた西野さんの膝の上に猫が心地よさそうに寝ている。西野さんは苦笑いしながら猫をなでている。

（2）ますます傷だらけになった和室で、少し白髪の出てきた西野さんが、膝の上のまるまると太った猫をなでながら、猫との出

「こいつが、わたしを母猫と間違えてなあ。一生懸命に腕 ⑥
を吸っていたんだよ」
　両腕に余るほど大きくなった猫を撫でながら、西野さん
はよくその話をする。
　しかし、幼時に母親を亡くした西野さんの、十年前の朝 ⑦
の切ない思いは、奥さんにも娘にも洩らしていない。
――あの朝、西野さんは写真でしか見たことのない母親と、⑧
夢のなかで会っていたのだ。子供に返った西野さんが母親
と遊んでいて、ふと目を覚ますと、すぐそばに子猫がいた ⑨
のだった。
　あのとき中学生だった娘は二十三歳になっているが、自 ⑩
分が子猫を拾ってきた夜の経緯など、とうに忘れてしまっ
ている。だが、不思議に翌朝のことだけは、はっきりと覚
えている。きっと、母親と二人だけの秘密があるからだろ
う。
　あの朝、奥さんと娘は、西野さんの寝室へひそかに子猫 ⑪
を抱いていった。そして、眠っている西野さんの腕に、奥 ⑫

会いを、笑顔で話している。

（3）横向きに寝ている西野さん。幼児に戻って亡き母と遊ぶ夢の光景が頭上に浮かんでいる。その腕を子猫が吸っている。

（4）寝ている西野さんの腕に牛乳を塗る奥さんと娘。そばの布団の上に子猫がいる。

30

⑬ さんが牛乳をちょっぴり塗っておいたのだ。
――この秘密は、いまなお固く守られている。

⑭ 子猫は、すでに老猫となって、相変わらず西野さんの大きな膝を占領している。

（5）あぐらをかいた西野さんの膝の上で心地よさそうに眠る猫のアップ。

いかがでしょうか。

この5枚で、隠された事実が次々と明らかになる展開を整理できると思います。「起承転結」を当てはめてみれば、「起承転転結」で、2回の転があるのです。小気味のよい展開と言えるでしょう。

5枚の区切り方について異論は少ないと思いますが、それぞれどんな画を代表画にするか、という点は人によりさまざまな答えがあると思います。

単に区切りが見つかればいいのではなく、**どんな画にまとめるのかを必ず心の中で考え、イメージとして明確にしてください。**

私の場合は、（3）では少し工夫しました。西野さんが目覚める前の状態を客観的に1枚のイメージにしてみたのです。

こうしてなるべく多くの意味を1枚でイメージする工夫を、ぜひしてみてください。そのために本文をくり返し読み、意味をあれこれと考えると、さまざまな気づきがあります。そのことが重要なのです。

さて、次に、より上級の課題を考えてみましょう。

私の例では、今回、5枚にまとめましたが、少し無理をすると**4枚にまとめる**こともできます。

どの画とどの画を1枚に合成できるでしょうか。少し考えてみてください。

……

わかりましたか。

私の答えは、(1)と(2)は統合できる、です。

10年という年月が流れ、西野さんも猫も歳をとっているけれども、基本的には同じ画です。10年間、この風景は変わらずに続いてきたのです。そのことに気づかないと、なかなか4枚にすることはできません。

あるいは、無理に4枚にして、大事な画を捨ててしまいます。

たとえば(5)の画です。この画も実は(2)と同じですが、同じ画がまた最後にあるところに意味があるので、これを捨ててしまってはいけません。

その点に気づけたでしょうか。

つまり、（1）（2）（5）はほぼ同じ画なのですが、（3）（4）の事実を知った後では、同じ画が違って見えて来るのです。

それが、この小説の構成の妙です。

西野さんの秘密、母娘の秘密、それぞれを知ったうえで、もう一度同じ光景をイメージすると、何とも言えない味わいがあるのです。見事な結末と言えるでしょう。

以上で二段階作業が終了です。

さて、ここまで『子猫』を前半後半に分けて読み、それぞれ5枚以内のカットにまとめました。

このあとは、さらに作品全体を5枚以内のカットに整理すると、この物語の全体像を明確につかむことができます。

ぜひ、ご自分で考えてみてください。しかし、紙数の関係でその例示、説明はせずに先へ進みます。

Chapter 13 内海隆一郎『子猫』全体まとめ

1 カットイメージ応用編　心の中にポスターをつくる

ここまで、カットイメージの基本作業を、完結した一編の小説を通じて体験していただきました。

いかがでしたでしょうか。

小説の内容について、ご自分のイメージのしかたについてなど、さまざまな気づきがあったことと思います。

では次に、応用編に進みます。

「この作品のポスターをつくる」という課題です。

と言っても、くり返し言っているように、カットイメージでは絵は描きません。あくまでも心の中に描くだけです。

第二段階で整理した大きな画を平面上に配置して、ポスターをイメージします。どのように配置したら物語の意味が伝わるか、と考えるのです。

映画のポスターとは目的が違うので、授業やセミナーではいつも**「ネタバレ・ポスター」**と強調しています。

映画のポスターの場合、映画を観てもらうことが目的なので、見栄えのいい場面を配置し、期待が高まるように構成します。結末のネタバレを避けるのは当然です。しかし、ここでは作品の全体的な理解を深めることが目的なので、ネタバレこそが必要なのです。では、頭の中に大事な場面を配置して、『子猫』のネタバレ・ポスターをつくってみてください。

このとき、絵を描くのが好きな方は、実際に絵を描いてもいいでしょう。この段階になれば、それもありです。

くわしい絵は描かなくても、**カットイメージの見出し語を紙の上に配置して概略図のように描く**のを基本的なやり方にしています。

原則としては第二段階で残した、前半5枚、後半5枚の画をどう配置するかで考えますが、その中から取捨選択したり、第一段階の細かい画を入れたりしてもかまいません。あなたなりの作品理解を形にするつもりで、カットイメージをコラージュするのです。

ちょっとやってみてください。

必ずごあなた自身で手を動かし、概略図を描いてから、次を読んでください。

2 『子猫』ネタバレ・ポスターの実例

では、私がやってみたものを概略図で示します。

中央に置いた「猫のいる家族の画」とは、西野さんが満足そうに膝の上の猫を撫で、母娘もその周りで微笑んでいる、という画です。その下に両側から支える形で西野さんと母娘の秘密の画を配置しています。

「西野さんの秘密の画」は、台所で牛乳をなめる子猫を涙ぐんで見ている西野さんの画で、頭上には夢で見た光景が浮かんでいます。

「母娘の秘密の画」は、眠っている西野さんのそばに子猫を置き、作戦実行している母娘の画です。

これらは後半の第二段階でまとめた5枚の画ですが、(1)(2)(4)はけっきょく同じなので、二次元に配置すれば一つにすることができます。

つまり、傷だらけの家と引き換えに、この10年、猫を中心にした和やかな家庭の風景があったのです。

『子猫』ネタバレ・ポスター

※『子猫』を読む前にこの図を見てもネタバレにならないよう、
わざと具体的な表現を省いてあります。

しかし、**この猫のいる家族の情景は、あの朝の互いに語らない二つの小さな秘密に支えられている**、というのがこの物語のポイントだと私は考えました。

西野さんのエピソード自体は心に沁みるものですが、実は西野さんの知らない母娘の小さな企みがあったというユーモラスなオチで、さわやかな読後感を残す物語になっていると思います。

そうした自分なりの解釈を、3枚の画の配置によって示してみました。

というより、**頭の中でイメ**

ージをあれこれ並べて考える中で、気づきがあり、考えがまとまっていったというのが真相です。このようにポスターを頭の中に作り、概略図を描いてみることで、考えが整理され、自分なりの解釈もできていくのです。

これはさらに、人前でプレゼンすることも可能です。

実際、授業ではこのポスター概略図を用いて発表会をすることもよくあります。生徒たちは、自分のイメージを生き生きと語り、互いの発表から学び合って、読みをさらに深めていきます。

以上、「心の中のポスターづくり」を紹介しましたが、これは基本作業の後に実施する応用編です。

カットイメージの第二段階までやれば、自分なりの読みができ、かなりの満足感が得られると思います。

その上でさらに、「心の中のポスターづくり」をやってみれば、この作品をしっかり理解できた、より深く自分なりの読みができた、という実感がつかめるでしょう。

第5章

自分好みの五感映画にとっぷりと浸る

Chapter 14 カットイメージ体験を存分に楽しむには

1 「映像作家になる」という喩えの危うさ

『子猫』のワークを通じて、カットイメージの実感がだいぶつかめてきたでしょうか。次の作品に進む前に、カットイメージ体験をさらに深めていただくために、ここであらためて**「カットイメージ」とはどういうものか**について考えてみたいと思います。

カットイメージのやり方がわかってくると、ありがちなのは、「要するに、自分が映像作家になればいいんですよね」という捉え方です。

メディアの仕事をしている方は、よくそういう言い方をします。

映像製作の実務経験がある男性は、「カットイメージをしていると、当時の感覚がよみがえってきて、よく仲間内で言っていた〝いい画をつくろう〟という感覚で、カットイメージをしています」と話していました。

出版社勤務の女性は、前の章で紹介した「ポスターをつくる」ワークがとても気に入って、「全体に広がりと奥行きのある浜辺の風景をバックに、少し憂いを含んだ少女の横顔のイメージですね。モデルは女優の○○さんみたいな感じで」と熱心に語っていました。編集会議でもきっとあんな感じなのだろうと思ったものです。

実をいうと、私自身も、カットイメージを広め始めた当初、「ご自分が映画監督だったら、あるいは漫画家だったらどうするか、考えてみてください」という言い方をよく使いました。

しかし、アメリカで弁護士をしている私の親友が、一時帰国した際にセミナーに参加してくれたときのことです。彼は非常に知的能力が高く、何事にも高度な集中力を発揮する男ですが、『子猫』のワークのあとで、「山崎が映像作家になれと言うから、頭の中で一生懸命映像づくりをして、**確かにイメージは鮮やかに見えてきたけれども、物語の中には全然入り込めなかった**」と感想を述べました。

これは私にはとてもショックで、以後、「自分が映像のつくり手だったら」という比喩を使うことに慎重になりました。

これはどういうことでしょうか。

2 あなたはあくまでも「鑑賞者」です

もしかしたら、この本を読んで「映像づくりの仕事に活かしたい」と思っている方もいるかもしれません。

しかしそれはごく一部で、大半の方は「小説をもっと楽しみたい」という願いからこの本を手に取ってくださったのだと思います。

また、私自身がカットイメージを広めたいのも、「小説を読んでイメージする楽しさ」を多くの方に味わっていただきたいからです。

つまり、**小説を読むときのあなたは鑑賞者なのです。小説の世界を楽しむ人です。**映像作品のつくり手ではありません。

カットイメージ作業に取り組むときには、ぜひそのことを忘れないでほしいのです。

そして、〝映像をつくる〟作業は誰かに任せてほしいのです。

劇場で映画を観ているあなたは映画の鑑賞者です。そのときあなたは、映像をつくる作業を映画製作の人々にお任せしているので、存分に映画を楽しむことができます。

しかしそれは、言ってみれば既製品を楽しんでいるわけです。

冒頭で述べた、「読んでから観る」で、原作小説を読んだあとに映画を観て「自分のイメージと違う」と感じるとき、実は映画はオーダーメイドではなかったことに、初めて気づくのかもしれません。

でも、それはしかたがありません。映画製作費を全額出せる大富豪でもない限り、あなただけのオーダーメイドの映画などというものはつくりようがないからです。

しかし、〝カットイメージではそれができる〟ということは、もうおわかりですね。カットイメージを使えば、小説を原作とした映画を心の中で自分好みにつくって楽しむことができるのです。

その反面、あなた自身がカットイメージの〝製作者〟になり、映像づくりの作業に熱中してしまうと、イメージ世界を楽しむことはできなくなってしまうのです。

では、どうしたらいいでしょうか。

3
映像をつくる作業は無意識に任せる

そのためにはまず、**あなたの目的はイメージ鑑賞であって、映像づくりではない**というスタンスを自覚することです。

そのうえで、イメージづくりはあなた自身の無意識の働きにお任せしてしまいます。

イメージをつくろうとするのではなく、**向こうから見えて来るものを観察し、楽しむ**ようにします。そうすれば、「無意識の働き」がイメージを生み出してくれるのです。

第2章で体験した「小学校の校庭と校舎」のイメージを思い出してみてください。自発的に見えて来るイメージ体験を深めるためのコツとして、次の**五つの心の態度**が重要だとお伝えしました。

① 心身のリラックス
② イメージについて質問する（自問する）
③ 今ここの体験として感じる
④ 浮かんできたイメージに決めて他は捨てる
⑤ 浮かんできたものを認め、積極的に楽しむ

「無意識の働き」にお任せして、カットイメージの体験を楽しむためには、これらの態度をあらためて意識してみてください。

カットイメージの区切りを見つけて線を引くときに、心の中で「②質問」の働きが起こります。

「どんな画か」と自問し、心の中を探りながら区切り線を入れていくのです。

〝映像のつくり手になる〟という比喩が危険なのは、その質問が、「何が見えるか」より

も、「どんな画をつくれば効果的か」、さらには「どんな映像ならヒットするか」という問いになり、つくり手の意識が前面に出てしまう場合があるからです。

心の中でそうした問いが聞こえたら、**「どんな画が見えているか」と自発的なイメージを探る質問に変えること**で、鑑賞者のスタンスに戻ることができます。

そして、③〜⑤の態度で、浮かんできたものを認め、「今ここ」の体験として積極的に楽しんでいけば、自然とカットイメージの世界に浸っていけるのです。

4

作業後に鑑賞者に戻って楽しむ

とはいえ、第2章でイメージの定義を「意識は常に目覚め、これは現実ではないという感じが保持されている点で、幻覚や夢とは区別される」とした通り、小説を読んでいるときに完全に我を忘れることはなく、常に意識は働いています。

どこにカットイメージの区切りがあるかと考えていること自体、イメージに没入するのとは別の意識・思考です。

とくに第二段階の大きなカットイメージまとめは、「どの画を選んで並べたら物語の流れがわかるか」、「どんな画にしたら内容が表現できるか」と考えます。これは、映像のつくり手の思考に近いものです。

また、第4章で体験していただいた「心の中のポスターづくり」などは、明らかに画をつくる作業です。

だから、カットイメージの作業自体が、もともと映像製作者の要素を含んでいることも否定できません。

そのうえで、製作者側に留まるのではなく、また鑑賞者に戻ってイメージを楽しむことが必要なのです。

第二段階のイメージや「心の中のポスターづくり」も、自分で画を並べながら、「どう見せるか」よりも、「自分で一番しっくりくる選択はどれか」、「気持ちのいい配列はどれか」と自分の感覚を重視した問いに変えることで、鑑賞者の側に戻る（あるいは居続ける）ことができます。

そして、5枚以内の画にまとめること、ポスター紙面に画像配置することがゴールではなく、できたその画を自分自身でとっくりと味わう。その楽しみを大切にしてほしいのです。

つまり、**映像のつくり手になる面はあっても、自分が鑑賞者であることを忘れずに、自分のつくったイメージを楽しめばいい**のです。

しかも、整理された心の画やポスターは、あなたの五感映画を起動するインデックスです。代表された画像をクリックすると、心の中には鮮やかな五感の映画が再生されます。

カットイメージの作業で心の中の映像を意識的につくったり、整理したりする一方で、鑑賞者としてそれを楽しむ。それをくり返していくうちに、映像づくりが無意識的、反射的になり、無意識がつくってくれるオーダーメイドの五感イメージを楽しむ面が増えてくると思います。

ただ、どこまで没入できるかは個人差がありますし、「小説に何を求めるか」も、人によって違います。

この章の初めで、カットイメージによる映像づくりを楽しむ方々には、失礼な言い方をしてしまったかも知れません。

言うまでもありませんが、小説にはいろいろな読み方、味わい方があっていいのです。カットイメージによってイメージづくりのおもしろさに目覚め、それを追求するのもまたきっと、奥深く豊かな道でしょう。

ただ私が示したいのは、私の親友のように、小説の世界を楽しみたいのに「入り込めなかった」という方への処方箋です。

その意味で、この章では、**イメージの「鑑賞者」としての体験を、もう少し深めておきたいと思います。**

Chapter 15

『子猫』の世界を深く体感する

1 鑑賞者の立場でオーダーメイドの映画を楽しむ

では、もう一度、内海隆一郎さんの『子猫』を使って、その世界をさらに深く味わってみることにします。

前半と後半のご自分で作業したページを見てください。

大きなカットはまとまりのあるワンシーンです。その**カットごとに本文を読み返して、心の中のイメージ映画を観ていきます。**

急いで読み進まず、場面の背景、人物の服装、顔かたち、表情、動作などを、心の中で「どのように見えているか」と自問し、見えてきた映像をさらに観察して楽しみながら、文章を行きつ戻りつして読んでいきます。

また、「どこから、どの角度で観ているか」を意識して、自由にアングルを変えたり、ズームイン、ズームアウトしたりしてみてください。

たとえば、『子猫』の冒頭部分なら、次のように自問すると、具体的なイメージが見えてきます。


玄関のつくりと様子はどうか。夜の玄関の光の加減は？

娘と西野さん、それぞれの服装、顔つき、表情はどうか。

二人の立ち位置は？　それをどのアングルから観ている？

アングルは変化する。子猫のクローズアップはどこか。

子猫の大きさ、毛色や濡れている様子は？

子猫は娘にどのように抱かれているか。

雨音が聞こえるか。セリフは声の高さや音色を意識して心で聴く。

猫の鳴き声もリアルに聴こうとしてみる。

……


さまざまな視点から映像イメージを丁寧に味わい、読み返していきます。

映像づくりの好きな方は、製作者側にはまり過ぎないように、鑑賞者のスタンスにいることを忘れないで下さい。

では、あなた好みのオーダーメイド映画を、じっくりと楽しんでみましょう。

必ず、実際にやってみてから、次を読んでください。

2 視点人物を意識して主観イメージの世界に入る

いかがでしたか。オーダーメイドの映画を楽しめたでしょうか。

あらためてやってみると、背景や人物の表情など、より鮮明に見えてくるものがあったと思います。

初めて読んだときとはちがって、背後にある西野さんと母娘の秘密も知っているので、むしろ安心して読める感じがしませんか。

そうした「オチ」や結末がわかったら、もうその小説を読む楽しみは終わったと考えがちです。しかし、結末を知ったうえで、もう一度（いえ何度でも）丁寧に読み返すと、より深い鑑賞ができるのです。


さて、ここからまた次の段階へ進みます。

先ほどはオーダーメイドの映画を観るようにイメージを体験していただきましたが、イメージと映画が同じでないことは、今まで何度もお話してきました。

映画には映像と音声しかありませんが、カットイメージでは、視聴覚以外に、味覚、嗅覚、触覚など、**五感のイメージ**を味わうことができます。

今度は、その体験を深めていきましょう。

心の中で映画を観るのが「客観イメージ」だとすると、これから体験していただくのは、**「主観イメージ」**です。

「主観イメージ」を体験するには、ある登場人物の立場になる必要があります。

実は、小説は客観イメージで書かれているようでも、ある人物の視点から描いていることがよくあります。それを**「視点人物」**と言います。

「私は」（一人称）で書かれていればそれが視点人物ですが、「彼は」（三人称）で書かれていても、視点人物を設定していることがしばしばあります。

『子猫』の視点人物はどうでしょうか？

そう思って本文を読み直してみると、「西野さん」寄りの視点で書かれている場面が多い気がします。

そこで、次に試してみてほしいのは、**西野さんの視点で本文を読み返し、イメージを味わうこと**です。

西野さんから見て、娘と子猫はどう見えるか。先ほどの客観視点では西野さんと娘が向き合っている画だったかもしれませんが、今度は西野さんの目から、玄関の様子や娘の様子を見てみます。子猫はどう見えるでしょうか。その鳴き声はどう聴こえますか。

前半の（3）のカットでは、子猫に腕を吸われるくすぐったい感じ（触覚イメージ）なども、ぜひ味わってみてください。

この主観視点で見ていくときに、西野さん自身の姿がイメージの中に見えるかどうか、という問題があります。西野さんの視点なのだから、西野さん自身は見えないというのが自然な理屈ですが、イメージの世界では、映像では表現できない体験が生じます。

西野さんの視点から見つつ、西野さんの姿も見える、といった体験になることもあります。**主観イメージと客観イメージが共存しているような感覚**です。それこそ映画にはない、イメージならではの体験なので、その感覚は大切にしてください。

いずれにしても、基本的には西野さん視点の主観イメージとして文章を読み直し、一つ一つのカットを味わっていきます。

しかし、後半の最後の方になると、西野さん視点ではイメージできないカットが出てきます。娘の視点になっているからです。そこは娘の視点に切り換えて、娘の目でイメージの世界を見てください。

では、やってみましょう。

必ず、実際にやってみてから次を読んでください。

3 『子猫』の主観イメージ体験

いかがでしたか。

視点人物になりきって五感の感覚を味わい、主観イメージの世界に浸ることができましたか。

しかし、実際に一文一文丁寧に読んで主観イメージを意識していくと、西野さんの視点でしっくりくるところもあれば、西野さんの中には入り込みにくいと感じるところもあると思います。

たとえば、13行目「住宅ローンの返済には、二十年もかかるのである」は西野さんの視点でイメージできますが、次の文「……その夜はやむなく廊下の隅に泊めることにした」では、西野さんの外に出て、客観的な映像になる気がします（もちろん、西野さんの視点でしぶしぶという気持ちで猫の寝ている画を見ることもできます）。

こうした視点の移動は、小説ではふつうに使われていますが、ふだん意識せずに自然と読んでいます。

朗読の研究家である東百道さんは、『朗読の理論――感動をつくる朗読をめざして』（木鶏社）の中で、作者視点、登場人物視点という2視点と、物語の外か、内か、人物内かという三つの視点位置との組合せで、地の文だけでも2×3＝6種類の視点があることを明らかにしています（同書P172）。

カットイメージで見ていくと、その理論も非常に腑に落ちるものですが、ここでの目的は物語の中に没入し楽しむことなので、文章から読み取れる視点の分析については、深入りを避けておきます。

そこでお勧めしたいのは、**主観イメージで体感しようとしてみて、自然にできる部分はそれでいいし、うまくできないところは客観イメージでリアルな映像を観るようにする、**というやり方です。

主観的な視点を基本方針として読み進み、自分の感覚で客観視点は選り分けていくわけです。そうすると、映画を観ていてそのリアル映像を楽しみつつ、いつのまにか登場人物に感情移入するのと似た感じになります。

そうして読んでいくと、例えばどんな感覚が得られるのか、『子猫』の後半について、**私が体験したイメージの内容**を書いてみます。

西野さんの中に入り込み、西野さんになった感覚で子猫を撫でると、毛並みの柔らかい手触りがして、膝の上で猫の温かさと動きを感じます。骨があたる感触もあります。

その画を外から見ている私もあります。そこには、妻と娘の笑顔も見えます。

西野さんの夢の世界に主観で入り込むと、私のイメージでは、着物を着た母と春の野で花を摘んで遊んでいました。花と草の香りがします。日差しは柔らかく暖かです。

母の笑顔がまぶしく、自分自身ははしゃいでいます。でも、きっとこの時間は長く続かず、母はまた去っていくという予感があって切なくなります。

すると夢から覚めていくときの寂しさが切実で、目を開けて子猫を見たときの西野さんの驚きと哀しみが、理屈ではなく胸にこみ上げてきました。

そのあと娘の視点になると、西野さんの体をするりと抜けて、ドライな世界です。西野さんの夢のことなど知らないまま、母娘は「自分たちの作戦勝ち」という思いだけを持ち続けて、子猫を可愛がる西野さんを見ています。

これはこれで楽しく、西野さんのウェットな場面を引きずらずに爽やかな読後感につながります。

実際に、西野さんもそれを引きずっていないことは明らかです。子猫との出会いとその後の日々が、西野さんの心の奥底にあった亡き母へのこだわりを浄化し、癒してくれた気がします。

その意味で、**西野さんの秘密も母娘の秘密も、互いに知らないままでいい**のです。

最後の１行「子猫は、すでに老猫となって、相変わらず西野さんの大きな膝を占領している。」は客観イメージですが、西野さんと母娘の思いをすべて含んだ、象徴的なワンショットとして、心に鮮やかに残ります。

実はこれが、第4章で紹介した私のポスターイメージになっていったのです。

以上は、私自身の体験です。あなたはいかがでしたか。

この章では、『子猫』をくり返し読むことで、カットイメージの体験をさらに深めていただきました。

オーダーメイドの映画を鮮やかに観る感覚、主観イメージで小説の世界を体感する感じを、楽しんでいただけたでしょうか。

カットイメージで読むときにこうした感覚を意識し、大切にしていくと、今までにない小説世界への深い没入感を体験できると思います。

さて、ここまでで、「イメージして読む」という感覚がだいぶつかめてきたのではないでしょうか。

その反面、より長いものを読んでいくふだんの読書ではどう応用したらいいか、疑問が募ってきたかもしれません。

そこで次章では、長編小説を使った実習を通じて、ふだんの読書にどう応用していくかを考えます。

第6章

カットイメージで長編小説を楽しむ

Chapter 16 小川洋子『凍りついた香り』冒頭 前半

1 カットイメージをふだんの読書で応用するには

第5章まで、小説を読んでイメージするとはどういうことか、カットイメージ・リーディングとはどのような方法なのかを、ステップを踏んで体験していただきました。

とくに前章では、カットイメージを応用してさらに深くイメージを体感しながら読む方法をお伝えしました。読書中に浮かぶイメージについて、何らかの気づきや変化を実感できたでしょうか。

今後は、これらの体験で得られたコツを実際の読書の中で応用していっていただければいいのですが、いかがですか。

しかし、この本で体験したことが今までにないものであればあるほど、逆に**実際の読書との落差**を感じるかもしれません。

――これから小説を読むときにはどうしたらいいか。

――ふだんの読書でこんな面倒なことはしていられない。

――どうせ、またふつうの読み方に戻ってしまうのではないか。

……

それは当然の疑問です。

そこで、この章では実際に長編小説の一部を読みながら、**ふだんの読書に応用していくにはどうしたらいいか**を考えましょう。

今回は、**小川洋子さんの長編小説『凍りついた香り』**の冒頭部分を取り上げます。

小川洋子さんは『**妊娠カレンダー**』で芥川賞を受賞した作家です。読売文学賞、本屋大賞を受賞した『**博士の愛した数式**』は、映画化もされてよく知られています。

2 カットイメージの作業を簡略化する

まず、カットイメージの方法をふだんの読書で活用しやすくするために、**区切り線を簡易化**します。

次のテキストの最初にサンプルとして線を入れてあるので、それを見てください。本文の上から下まで引いていた区切り線を**横棒1本**にして、カットの切れ目に入れます。

　これなら区切り線を入れるのも楽ですし、1行に2か所以上の区切りが入っても大丈夫です。

　では、まずは第一段階の細かなカットイメージを心に描き、横棒1本で区切りながら読んでいきましょう。


　ウィーン・シュヴェヒャート空港からプラハへの乗り継ぎ便は、五時間遅れた。どうしてそんなことになるのか、誰に尋ねても本当のことは教えてくれなかった。うんざりしたように首をすくめるか、私の知らない言葉を早口で並べ立てるだけだった。

　搭乗口C―37番は、建物の一番端にあった。人影はまばらで、静かだった。流れる音楽もなく旅行者たちの心浮き立つざわめきもなく、時折響く案内アナウンスは、スピーカーが壊れているのか途切れ途切れでほとんど聞き取れなかった。

　コーヒースタンドは店仕舞いをはじめた。さっき私にサンドイッチを作ってくれた男の子が、モップで床を拭いていた。カウンターの照明が消され、きれいに磨かれた

10
ガラスコップが、布巾の上に伏せて並べてあった。 外はもう真っ暗だった。オレンジの誘導灯が、にじんで見えた。ちょうど一機、離陸してゆくところだった。遠い闇の一点に吸い込まれるように、それはゆっくりと小さくなっていった。 （つづく）

カット枚数　　枚

簡易式でもカット枚数を数えてメモします。最後の一文の終わりにも線を引けば、横線の数がそのまま枚数になります。

いかがですか。

必ず実際に鉛筆を持ち、線を入れてから次を読んでください。

3　簡易式による作業例

空港の場面です。

そういえば、空港の場面から始まる映画は多い気がします。そうした映画の導入シーンのようにイメージできたでしょうか。

語り手であり主人公らしき「私」の性別、年代はどうイメージしますか。

冒頭から、その人物が空港の職員とやりとりしている映像を具体的に思い浮かべて読めたでしょうか。

全体として映像化しやすい描写だと思います。

視覚イメージと聴覚イメージを駆使して読むことができましたか。

では、次に私がやってみた例を示します。

ウィーン・シュヴェヒャート空港からプラハへの乗り継ぎ便は、五時間遅れた。ど ①
うしてそんなことになるのか、誰に尋ねても本当のことは教えてくれなかった。うん ②
ざりしたように首をすくめるか、私の知らない言葉を早口で並べ立てるだけだった。 ③
搭乗口C—37番は、建物の一番端にあった。人影はまばらで、静かだった。流れる ④
音楽もなく旅行者たちの心浮き立つざわめきもなく、時折響く案内アナウンスは、ス
ピーカーが壊れているのか途切れ途切れでほとんど聞き取れなかった。

10

⑤ コーヒースタンドは店仕舞いをはじめた。さっき私にサンドイッチを作ってくれた
⑥ 男の子が、モップで床を拭いていた。カウンターの照明が消され、きれいに磨かれた
ガラスコップが、布巾の上に伏せて並べてあった。
⑦ 外はもう真っ暗だった。オレンジの誘導灯が、にじんで見えた。ちょうど一機、離
⑧ 陸してゆくところだった。遠い闇の一点に吸い込まれるように、それはゆっくりと小
さくなっていった。

私の場合、８枚のカットイメージに分かれました。
次のようなイメージです。

① 空港カウンター付近の雑然とした様子を遠景でとらえる。「～五時間遅れた」は、ナレーションで。

② 主人公は30歳くらいの女性。真剣な表情で、英語で尋ねるが、男性職員は無言で首をすくめている。

③ 太った女性職員が、外国語でしきりにまくし立てている。主人公の女性は途方に暮れ

ている。
④C37搭乗口の周辺、並んだ椅子にはところどころしか人が座っていない。スピーカーから雑音が多い切れ切れの女性アナウンス。
⑤薄暗くなったコーヒースタンドで、金髪で青い目の若い男性従業員がモップで床を拭いている。
⑥カウンターの隅に並ぶ、伏せたコップ。
⑦ガラス越しに見える滑走路の風景。暗い中にオレンジ色の誘導灯。
⑧離陸していく飛行機の点滅する光。

主人公を30歳くらいの女性だとイメージしたのは、このあとを読んでいるからです。初めてこの小説を読んだときどうだったのかは、忘れてしまいました。残念ながらそこに戻ることはできません。

性別や年齢を特定する情報が文中にまだないときは、とりあえず男性か女性か、年齢はどれくらいか、自分の心に浮かんできた人物像を素直に見て、イメージをつくっていきます。

ここで人物像をあいまいにせず、何らかのイメージをつくっておくと、あとで性別や年齢のわかる記述が出てきたときに修正し、肉づけしていけるのです。

①②③が空港カウンターでの職員とのやりとりです。
④から搭乗口付近の出発ロビーの風景ですが、最初は聴覚イメージが優位です。人が少なく寂れた感じが、静かさと音の悪いアナウンスから感じられます。
⑤⑥はコーヒースタンドの店じまいの様子です。そんな時間になっても、まだ飛行機は到着せず、さらに心細い感じがしてきます。
⑦⑧は、視点を転じて外の風景です。とはいえ、真っ暗な中に見えるのは、誘導灯や離陸する飛行機の光だけです。

これらのイメージは、前の章で述べたように、主人公の目から見た光景であり、同時に主人公の姿が見える映像でもあります。そのどちらかなのか、両方なのか、どちらのイメージが主で従か、などは、場面によって変わり、読む人によっても違います。それらを意識してみてください。

ここで、第二段階のまとまりとして、2か所、二重線（＝）を引いてみました。
横棒1本で細かなカット分けをしていき、大きな画にまとまるなと思うところがあったら、横棒を二重線にします。これは、まとまりが見つかったら覚書き程度につけておく印です。

実際の読書でどんどん読んでいくときには、前章までやった厳密な第二段階のカットイメージまとめをする必要はありません。

これらの作業をやってみると、この小説は、かなり視覚的に書かれ、しかも、形式段落（改行段落）がイメージのまとまりと完全に一致していることがわかります。

これが作者のスタイルなのだと見当がつくので、このあとは形式段落ごとにイメージのまとまりを意識していこうという方針が立ちます。

4

簡易式を実施する上での注意点

今後の読書の中で活用していくために、まず簡易式の線の引き方を練習してみました。いかがでしたか。線を引くのが楽になったので、サクサク読んでいける感じがしてきたでしょうか。

ただ、この簡易式では、スタンダードの区切り線と比較して、**注意しておきたいこと**が二つあります。

（1）カットされたテキスト範囲を広くまとまりで見る

今まで区切り線を上から下まで引いていたのは、線と線で囲まれた範囲を一つのまとまりとして、心の中にある1枚のカットイメージと対応させるためです。

横棒1本になっても、テキストを見る視野を広く持って、線と線に挟まれたテキストの範囲を、一つのまとまりとして意識するようにしてください。

（2）先まで読んで、戻って線を入れる

サクサク読んで線を入れていくのはいいのですが、ついしがちなのは、今読んだ文の終わりに、すぐ線を入れることです。

なぜそれがいけないかというと、次の文もまだ同じカットに含まれるかもしれないからです。次を読むまで、そこに線を引いていいかどうかの判断はできません。

一文一文を読みながらイメージして、「次のカットに変わった」と思ったら、戻って線を引きます。だから、カットイメージの作業中は必ず行きつ戻りつして読んでいるのです。

線が引きやすくなった分、安易に区切りを入れがちなので、注意が必要です。

そうした点に注意すれば、作業自体はとても簡単になります。

手間が省けた分、イメージすることで集中でき、ふだんの読書のときにも、気軽に試すことができると考えてください。

では、この方法を使って続きを読んでいきましょう。

5 簡易式でどんどん読んでいく

この簡易式を使えば、どんどん読んでいくことができます。

第二段階の二重線（＝）は、まとまりに気づいて、入れたくなったときに入れればいいのです。厳密に考える必要はありません。

では、先ほどのテキストの続きです。同じようにどんどん横線を入れて読んでみてください。

白人の老婆は身体を丸め、鞄を枕にしてベンチに横たわっていた。中国人らしい親子は、粉をぽろぽろこぼしながら月餅を食べていた。母親の胸で赤ん坊がぐずりだした。みんな、飛行機を待っていた。

日本を出発してからどれくらい時間がたったのか、自分はいったい何時間眠っていないのか、計算してみようとした。けれど何度試しても、うまくいかなかった。時差の七時間分を足したり引いたりしているうちに、わけが分からなくなった。疲れすぎ

て頭の芯が痺れていた。

どんな種類であれ、計算するのは彼の役目だった。誰かの生年月日を西暦に直したり、出張旅費の合計を出したり、ボウリングのスコアをつけたり、タクシーのお釣りが間違っているのを指摘したり……。

弘之はいつだって正しい答えを出すことができた。「えっと……」と私が口ごもるだけで、すぐさま脇から正確な数字を提示してくれた。決して押しつけがましくなく、自慢げな様子はかけらもなく、むしろ申し訳なさそうでさえあった。君が困っているように見えるから、つい口出ししてしまうんだ。もし余計なお世話だったら許してほしい。そんなふうに言いたげだった。

58、37400、1692、903……。彼の答えはただの数字だった。それ以外に意味はなかった。なのに私は、彼がそれをつぶやく瞬間を何より愛した。ゆるぎのない数字の響きは私を安堵させた。間違いなく自分のそばに、彼がいるのだと感じることができた。

不意に雷が鳴った。さっき飛行機が消えていったあたりに、稲光が走った。続けて雹が降りだした。

最初は待合室のガラスが割れたのかと思った。何か硬いものが崩れ落ちるような、すさまじい音があたりを包んだ。老婆は起き上がり、赤ん坊はきょとんとしておしゃぶりを落とした。誰もが外に目をやった。

　本物のガラスのように、雹はキラキラと光っていた。目をこらすと、一つ一つの形が闇に映って見えた。それらはいくつも窓にぶつかり、砕けて飛び散った。

　ふと気がつくと、私たちの乗る飛行機が横付けされていた。機体に〝ＣＥＳＫＹ〟の文字が読み取れた。いつの間に、どこから来たんだろう。私は立ち上がって窓に近寄った。荷物を積んだ貨物車が長く連なり、あちこちでカーブしながらこちらに向かっていた。

　プロペラにも、車輪にも、翼にも、雹が降り注いでいた。ドアが持ち上がり、タラップが取り付けられた。一段と大きな雷が鳴り、また赤ん坊が泣きだした。

　雹に打たれる飛行機は、余計小さく見えた。傷つき衰弱した小鳥のようだった。搭乗を告げる案内板のランプが、やっと点滅しはじめた。

（つづく）

カット枚数　　　枚

ちょっと枚数が多いですが、数えて記入してください。

必ずあなた自身で、実際に作業をしてから次を読んでください。

いかがですか。イメージ鮮やかにサクサク読むことができたでしょうか。先ほど見たように、形式段落（改行段落）ごとにイメージがまとまっているのがわかりましたか。ただ、その先入観を持って読むのではなく、細かなカットの区切りを見つけながら、心の中でイメージをよく見て、それが形式段落ごとにまとまり、次の段落でまた新たなイメージに切り換わっていく様子を実感してほしいのです。

ここでは、**空港ロビーの客観的な描写から主人公の内面へ、そして回想へとイメージが展開し、そしてまた現在へと戻ってきます。**

そのプロセスをしっかり追うことができましたか。

その意味がわからない方は、もう一度読み直し、その点を確認してから次へ進んでください。

6 風景をイメージして心情を感じとる（心象風景）

では、私がやってみた例を示します。

白人の老婆は身体を丸め、鞄を枕にしてベンチに横たわっていた。中国人らしい親 ①②
子は、粉をぽろぽろこぼしながら月餅を食べていた。母親の胸で赤ん坊がぐずりだし ③
た。みんな、飛行機を待っていた。 ④
日本を出発してからどれくらい時間がたったのか、自分はいったい何時間眠ってい ⑤
ないのか、計算してみようとした。けれど何度試しても、うまくいかなかった。時差 ⑥
の七時間分を足したり引いたりしているうちに、わけが分からなくなった。疲れすぎ ⑦
て頭の芯が痺れていた。

どんな種類であれ、計算するのは彼の役目だった。誰かの生年月日を西暦に直した ⑧⑨
り、出張旅費の合計を出したり、ボウリングのスコアをつけたり、タクシーのお釣り ⑩⑪
が間違っているのを指摘したり……。 ⑫
弘之はいつだって正しい答えを出すことができた。「えっと……」と私が口ごも ⑬
るだけで、すぐさま脇から正確な数字を提示してくれた。決して押しつけがましくなく、 ⑭

自慢げな様子はかけらもなく、むしろ申し訳なさそうでさえあった。君が困っている
ように見えるから、つい口出ししてしまうんだ。もし余計なお世話だったら許してほ
しい。――そんなふうに言いたげだった。
　58、37400、1692、903……。彼の答えはただの数字だった。それ以 ⑮⑯
外に意味はなかった。なのに私は、彼がそれをつぶやく瞬間を何より愛した。 ⑰
　ゆるぎのない数字の響きは私を安堵させた。間違いなく自分のそばに、彼がいるの ⑱
だと感じることができた。

　不意に雷が鳴った。さっき飛行機が消えていったあたりに、稲光が走った。続けて ⑲⑳
雹《ひょう》が降りだした。 ㉑
　最初は待合室のガラスが割れたのかと思った。何か硬いものが崩れ落ちるような、
すさまじい音があたりを包んだ。老婆は起き上がり、赤ん坊はきょとんとしておしゃ ㉒㉓
ぶりを落とした。誰もが外に目をやった。 ㉔
　本物のガラスのように、雹はキラキラと光っていた。目をこらすと、一つ一つの形 ㉕㉖
が闇に映って見えた。それらはいくつも窓にぶつかり、砕けて飛び散った。 ㉗
　ふと気がつくと、私たちの乗る飛行機が横付けされていた。機体に〝ＣＥＳＫＹ〟 ㉘㉙
の文字が読み取れた。いつの間に、どこから来たんだろう。私は立ち上がって窓に近 ㉚

30

寄った。荷物を積んだ貨物車が長く連なり、あちこちでカーブしながらこちらに向か ㉛
っていた。
プロペラにも、車輪にも、翼にも、雹が降り注いでいた。ドアが持ち上がり、タラ ㉜㉝
ップが取り付けられた。一段と大きな雷が鳴り、また赤ん坊が泣きだした。 ㉞
雹に打たれる飛行機は、余計小さく見えた。傷つき衰弱した小鳥のようだった。搭 ㉟
乗を告げる案内板のランプが、やっと点滅しはじめた。

（つづく） ㊱

全体で36枚のカットに分かれました。

大きなイメージのまとまりに二重線を入れてみましたが、やはり形式段落とほぼ一致しています。

①～④は前の続きで、出発ロビーの様子です。

続いて、⑤～⑦で時間を計算しようとしてうまくいかない「私」の内面が描かれます。

そこからの連想で、「どんな種類であれ、計算するのは彼の役目だった」と、回想シーンに入っていきます。

そこで、ここに縦線を入れてみました。

ここから19行目、⑱までは、計算、数字をめぐる彼（弘之）の記憶です。私が彼の思い出にふけっていると考えていいでしょう。20行目、⑲のカットから突然の雷鳴で現実に引き戻されます。

そこで、⑱のあとにもう一度、縦線を入れてみました。これで、回想シーンの範囲が明確になりました。

縦線はこういうときだけ引くようにすると、挿入されたシーンなどを区別するのに有効です。

このあと、雷鳴が私を現実に引き戻し、さらに雹《ひょう》がガラスに当たるすさまじい音が響きます。強烈な聴覚イメージです。

ここで20行目「続けて雹が降り出した。」のあとはわざと区切り線を入れていません。突然のガラスの割れるような音に驚き、そのあとで雹だと認識するので、画はひとつだからです。

そして、㉒〜㉔は雹の音に驚くロビーの人々の様子です。そこにいた人々がみな一斉に窓の外に目をやります。

すると見えるのは、キラキラ光りながら降り注ぎ、ガラスに当たって砕け散る雹です。雹に気をとられてふと気づくと、待ちに待った飛行機が姿を現しています。その飛行機にも雹は容赦なく打ちつけるのです。

ここまでがこの小説のプロローグで、次は1行空きを挟んで、まったく別のシーンに切り換わります。

こんなふうに長編小説の冒頭部分を読んでみると、どうでしょう？　場面のイメージが鮮明に浮かび、ちょうど映画の導入シーンのように、これから始まる物語への期待が高まるのではありませんか。

簡易式の横棒1本線で区切りながら丁寧にイメージしていくだけで、こうして小説の舞台に深く入り込んでいくことができます。

ここで得られる視聴覚イメージの効果は抜群です。と同時に、先の見えないまま待ち続ける徒労感と疲労感がイメージを通じて実感されます。

そして、ようやく現れた飛行機も、雷鳴と雹にさらされて、「傷つき衰弱した小鳥」のように見えるのです。

これらは単なる風景描写ではなく、**主人公の心情が投影された心象風景**だと考えていいでしょう。イメージの世界に入るとともに、主人公の心の世界にも入り込んでいくのです。あなたは、これからの物語の展開に、どんなものを予感しますか。

また、挿入された彼（弘之）についての回想シーンが、不思議な印象を残します。計算するのが得意で、「私」が戸惑っているときにすぐ正確な答えを出してくれる弘之。そうして、彼が答えの数字をつぶやく瞬間を、「私」は「何より愛した」というのです。

この後の物語の中で、弘之と数学との深い関わりが明らかになっていきます。そして数式の美しさや数理の世界の奥深さについても触れられます。

余談ですが、この小説『凍りついた香り』は、２００３年発表の『博士の愛した数式』に先立つ５年前、１９９８年に刊行されています。この作品に垣間見られる小川洋子さんの数学的世界への関心、イメージがさらに深まり、熟成して、『博士の愛した数式』に結実していったのではないかと思います。

では、もう少し先まで読んでみましょう。

[Chapter 17] 小川洋子『凍りついた香り』冒頭　後半

1　簡易式でも主観視点でイメージに浸る

先ほどの空港シーンのあと、1行空いていて場面が変わります。では、簡易式を使って読んでいきましょう。

1

弘之が死んだと、病院の看護婦から電話があった時、私はリビングでアイロンをかけていた。

「え？　何ですって」

受話器の向こうの聞き覚えのない声に、私は問い直した。

「仕事場で、自殺をはかられました。無水エタノールを飲んだんです」

見ず知らずの女が、弘之についてどうしてそんなに詳しく語れるのか、不思議な気がした。そのことが理不尽な仕打ちに思えた。

「すぐにいらして下さい。一階西側玄関を入ってすぐの、救急救命センターです」

無水エタノール。それなら知っている。調香室の棚の一番下に置いてあった。調香室で作業する弘之の姿を、しょっちゅうじっと眺めていたから、あそこのことならどんなに細かいところでも覚えている。赤いキャップの、褐色のガラス容器に入っていた。丸みのある、重そうな瓶だ。白いラベルが貼ってあった。確か一センチくらいしか、減っていなかったと思う。

「よろしいですね」

女が念を押した。

私はアイロン台の前に戻った。そしてやりかけていた弘之のワイシャツに、アイロンをかけた。

すぐに行かなければならないと、分かっていた。財布だけポケットに突っ込み、タクシーを拾い、何を置いても病院へ駆け付けるべきだった。

なのに私の手は勝手にアイロンを動かしていた。今はこれをやりとげることが、何より大事なのだとでもいうように、丁寧に衿の皺を伸ばしていた。これを着る弘之は、もう死んでしまったというのに。

小川洋子『凍りついた香り』(幻冬舎文庫)P5~9

カット枚数　　枚

実際に鉛筆を持ち、カットイメージの作業をしてから、次を読んでください。

さて、何枚のカットに分かれたでしょうか。

場面は大きく変わって、いきなり「弘之」の死の知らせから始まります。〝アイロンをかける=女性の仕事〟とは言えませんが、「私」が女性で、2人が夫婦かそれに準ずる関係であることは推測できるでしょう。

しかしここは、描かれている内容の割には淡々とした語り口なので、「私」の気持ちにあまり共感できないまま、読みとばしがちです。カットイメージを使って丁寧に読むことで、「私」の内面の動きを感じとってみましょう。

そのためにはぜひ、第5章で体験した**主観視点のイメージ**を意識してほしいところです。カットイメージで「私」の目から見た映像を思い描くと同時に、その世界を五感で味わうようにすると、主人公の心情がより深く理解できるはずです。

できればもう一度テキストに戻って、主観視点の五感イメージを感じながら読み直してみてください。

では、私がやってみた例を示します。

弘之が死んだと、病院の看護婦から電話があった時、私はリビングでアイロンをか ①
けていた。

「え？　何ですって」 ②

受話器の向こうの聞き覚えのない声に、私は問い直した。 ③

「仕事場で、自殺をはかられました。無水エタノールを飲んだんです」

見ず知らずの女が、弘之についてどうしてそんなに詳しく語れるのか、不思議な気 ④
がした。そのことが理不尽な仕打ちに思えた。

「すぐにいらして下さい。一階西側玄関を入ってすぐの、救急救命センターです」 ⑤

無水エタノール。それなら知っている。調香室の棚の一番下に置いてあった。調香 ⑥

⑦ 室で作業する弘之の姿を、しょっちゅうじっと眺めていたから、あそこのことならど
⑧ んなに細かいところでも覚えている。赤いキャップの、褐色のガラス容器に入ってい
た。丸みのある、重そうな瓶だ。白いラベルが貼ってあった。確か一センチくらいし
か、減っていなかったと思う。
⑨ 「よろしいですね」
女が念を押した。
⑩ 私はアイロン台の前に戻った。そしてやりかけていた弘之のワイシャツに、アイロ
ンをかけた。
⑪ すぐに行かなければならないと、分かっていた。財布だけポケットに突っ込み、タ
クシーを拾い、何を置いても病院へ駆け付けるべきだった。
⑫ なのに私の手は勝手にアイロンを動かしていた。今はこれをやりとげることが、何
⑬ より大事なのだとでもいうように、丁寧に衿の皺を伸ばしていた。これを着る弘之は、
⑭ もう死んでしまったというのに。

私の場合は、14枚のカットに分かれました。

①アイロンがけをしているところに電話が鳴る。呼び出し音の響き。
②立って、コードレスの受話器を耳に当てている。
③映像は受話器を耳に当てて驚いた表情の「私」。電話を通した看護婦の声。
④「どうして？　どうして……？」と理不尽さに抗うような心の声。心の中で頭《かぶり》を振る「私」の姿。
⑤きびきびと話す看護師の声。受話器を耳にあてて立ち尽くす「私」の蒼白な横顔。表情は固まっている。
⑥棚の隅に置かれた無水エタノールの瓶。
⑦調香室でスポイトとビーカーを目の高さに掲げて作業している白衣姿、30代で長髪ぎみ、鼻筋の通った男性。
⑧無水エタノールの瓶のアップ
⑨看護師の声。黙ったまま受話器を置く「私」。
⑩アイロン台の前の腰掛に座り、アイロンをかける「私」。
⑪慌ただしく部屋を出てタクシーを拾い、病院へ向かう「私」の姿が、現実感のないピンボケ映像で浮かんでいる。
⑫アイロンがけを続ける自分の手を、他人のもののように呆然と見ている「私」。

⑬アイロンがけを続ける「私」の顔には少しずつ表情が浮かんでくる。悔しそうに口を引き結び、悲しげに眉根を寄せている。

⑭ワイシャツを着た弘之の笑顔の写真がモノクロになり、ゆっくりと画質が荒くなって、塵のように消えていく。

2 イメージを通して人物の心理を丁寧に読む

このシーンを読んで、「私」の態度・行動に疑問を感じる人もいるでしょう。

弘之と「私」は夫婦のようです（このあとで、同棲している恋人同士とわかります）。最愛の人の死の知らせを受けた場面にしては、**「私」の反応や行動は、非現実的に感じる**かもしれません。無水エタノールの在りかを冷静に思い出していることや、アイロン作業を続けることなどです。

その点を、カットイメージで丁寧に読みながら考えていきましょう。

私のイメージした14枚のカットを改めて見てください。

6行目④のカットから、「私」の反応は現実とずれてきます。

④で「理不尽な仕打ち」と言っているのは、〝自分が知らないことをなぜ見ず知らずの女が詳しく知っているのか〟という反発です。客観的に見れば、その反発自体が理不尽

ですが、でも、それが「私」の心に湧いてきた感情なのです。

そこで、私のイメージでは、**「理不尽な仕打ち」と感じる気持ちをできる限り視覚化してみよう**としました。それが、④「どうして？　どうして……？」と理不尽さに抗うような心の声、心の中で頭を振る「私」の姿。——です。

これは、実際にはしていないが、「私」の内面を表情・しぐさで表現するとそうなる、と思ったのです。心の中の「私」がそうしているとイメージしてみると、ことばの向こうにある「私」の思いがリアルに迫ってくる気がしました。

小説では、人物の心情を間接的な表現や客観的な心理描写で示すことがよくあります。それをことばだけの理解で終わらせず、心情として実感するためには、このようなイメージ化が有効です。

ことばの意味を丁寧に理解しつつ、**そこに表現された心情を人物の具体的な表情や内心の声としてイメージ**します。実際に顔や声に出していなくても、心の中ではきっとこんな表情やことばを発しているのだろうとイメージして、それを味わうようにするのです。

カットイメージの技法の一つとしてぜひ憶えておいてください。

さて、さらに8行目⑤では、看護師が「すぐにいらしてください」と言っているのに、そのことには反応せず、9行目⑥～⑧では、「無水エタノール」の記憶をたどっています。

9行目「それなら知っている」は、6行目「**見ず知らずの女」に張り合う気持ち**ではないでしょうか。

看護師は業務を遂行しているだけなのですが、理不尽な事実を受け入れがたい気持ちから、看護師を短絡的に恋敵のようにとらえ、自分の方が弘之に詳しい、と主張しているのです。

⑥で、調香室で作業する姿をしょっちゅうじっと眺めていたから、というのも同じ気持ちでしょう。そこから、記憶の中に浸ってしまうのは、現実逃避の意味もあります。

⑨では、「私」が無言なので、「よろしいですね」と看護師は念を押すのですが、看護師を「女」と表現しており、「私」にとっては「見ず知らずの女」のままなのです。

そして、本文には記述がありませんが、看護師のことばに「私」は答えず、無言のまま受話器を置いたのだろうと、私はイメージしました。

18行目からの記述は、頭の中では「分かっていた」けれども、実際の行動に結びつかない考えです。これを理屈でなく、「私」の実感に即したイメージにしてみたのが⑪です。

頭の中ではわかっていても、病院へ駆け付けるという行動につながりません。その代わりに「私の手は勝手にアイロンを動かして」いるのです。まるで自分の手ではないように。

続く「今はこれをやりとげることが……」の文でも、「何より大事だとでもいうように、丁寧に襟の皺を伸ばしていた」と、他人事のように書かれています。

心理学的には「離人感」といって、強いストレスに見舞われたときなど、一時的に自分の体や行動が自分のものではないような感覚になることがあると言います。まさにその現象が起こっていると解釈していいでしょうが、そうして知識で理解するよりも、ここでは、**「私」の中に入り込み、この現象を主観イメージとして体感することが重要**です。

3 カットイメージで小説の世界をありのまま味わう

最初の空港のシーンだけでは気づきにくいですが、この場面には、小川洋子さん特有のタッチが表れています。

リアリティの面から見ると、どこか現実離れしていると感じる人物の行動が、小川洋子さんの小説には少なからず出てきます。

しかし、現実的な判断はさておき、**書かれている通りに忠実にイメージしていくと、その心情的なリアリティが実感されてきます。**

突然の訃報に接して、泣き崩れたり、取るものも取りあえず病院に駆けつけたりするのは、ふつうに期待される常識的な行動です。人物がその通りにふるまえば多くの人が納得するでしょうが、実際の感情は常識の型通りに動くとは限りません。

着てもらえるあてのないワイシャツにアイロンをかけ続ける主人公の姿を実際にイメージしてみると、ぽっかり空いた空虚感と、あまりに衝撃的な事実を受け入れられないつらさが伝わってくる気がして、とても悲しくなります。

以上は、私がカットイメージの作業をしながら、イメージを通して感じたことです。こうした読み取りを単に「解釈」としてことばだけで考えるのではなく、**文章からイメージを描き、そのイメージを通して感じ取ることが大切**です。

だから、ここに書いたことは「模範解答」ではありません。あくまでも私のイメージに過ぎません。ですが、そのときのイメージのしかたや考え方、感じ方をふり返り、詳しくお伝えするようにしました。

これを参考にして、**読んでイメージするコツ、イメージして感じるコツ**を、あなたなりにつかんでほしいのです。

さて、この小説はこのあと、弘之の死の理由を求めて彼の過去を探す「私」の旅へと展開していきます。冒頭のシーンであるプラハ行きも、その旅の一環です。

旅の過程で、「私」の知らない彼の別の顔が次々と明らかになっていきますが、それで死の謎が解けるわけではありません。

でも、弘之の実家で、プラハで、不思議な符合がいくつも見つかり、現実と空想の間で、謎は解けるかに見えてまた迷宮へと迷い込んでいきます。

一見ミステリー仕立てのようですが、ミステリーだと思って読んでいくと、この作品の価値を見誤ります。

その意味で、**謎を謎のまま、矛盾を矛盾のまま、描き出された世界をまるごと味わうために、カットイメージが有効**です。

[Chapter 18] カットイメージを応用して長編小説を読むには

1 カットイメージがめんどうならしなくてよい

カットイメージを活用して長編小説を読むために、ここでは簡易式の方法をご紹介し、小川洋子さんの『凍りついた香り』の冒頭部分を読んできました。

私のイメージの説明は細かいようですが、頭の中で起きていることを具体的に理解してもらおうとすると、細かくことばを並べざるを得なくなります。

しかし、実際にやっているのは、読みながらカットイメージを思い浮かべて区切りを見つけ、横棒1本を次々と入れながら読み進んでいく、ただそれだけです。

そのシンプルな作業の中で、頭がフル回転して五感イメージをつくり、自分自身でそれを味わっていくのです。

前に述べたように、あなたはイメージのつくり手であると同時に、鑑賞者です。小説

を読みながらイメージを楽しむことが第一です。そのためにカットイメージが役立てばよいのです。

極端なことを言えば、もしカットイメージの作業がめんどうで、それで読書を楽しめないのなら、する必要はありません。

『子猫』でやった本格的なカットイメージの作業で上から下まで線を引き、ボトムアップの二段階作業をきっちりやると、確かにしんどい面はあります。そこで、簡易式を提案しました。

これなら、カットイメージでサクサク読んでいくことができます。長編小説でもこれでずっと読めるなら、横線を引きながら読み続けていけばいいのです。

そして、大きな区切りがあるなと思ったら、＝線を入れる。それだけです。さらに大きな区切りを縦線で入れても構いませんが、それもしたいときだけすればいいのです。

私はこの方法で『凍りついた香り』1冊を通読しました。

以前に一度読んだことはあったのですが、カットイメージで読んでいったら、読んだ記憶のない新しい場面が次々と具体的なイメージとして立ち上がってくるので、病みつきになり、最後まで通してしまったのです。

だから、ふだんの読書に活用したいと思ったら、カットイメージの厳密なやり方にこだわるよりも、簡易式で手軽に試してみてほしいのです。そして、自分で楽しく読める範囲で続ければいいと思います。

長編小説の場合なら、とりあえず簡易式で横線を引きながら読み始め、適当なところで線を引くのはやめて、ふつうに読んでいけばいいのです。それでも導入部分でその小説のイメージ世界にしっかりと入っているので、読書の質は変わってきます。

それで読み進めていくうちに、またじっくりイメージしたくなったら、そこからカットイメージ作業を再開すればいいのです。

厳密なやり方にこだわらず、自分が読書を楽しむために必要に応じて活用する、というスタンスが、長編小説をカットイメージで読んでいくコツです。

2

カットイメージは、読書を楽しみたいあなたへのギフト

カットイメージ・リーディングは読書のトレーニングですが、辛抱強く継続しなければ効果が出ないものではありません。

今までのワークをやってこられたあなたにはおわかりだと思いますが、カットイメー

ジとはどういうものかを理解したうえで、実際にシャープペンを持って線を引きながら読んでみれば、効果はすぐに実感できるものです。

あとは、この方法を続けて、さらにその感覚を味わいたいと思うかどうかです。

でも、線を引くことの効果はテキメンなので、ときどきやらないともったいないと思いませんか。とくに、好きな小説を読むとき、小説を読む楽しみを深く味わいたいときには、簡略式でいいので線を引くことでイメージに深く没入する体験を、ときどきしてみてほしいのです。

〝映画を観ているみたいに小説を読む〟ための具体的な方法は、既にあなたの手の中にあります。そのことが、この本を読んでくださった方への最大のギフトです。

カットイメージの方法を知らなければ、「もっともっと深く読みたい、楽しみたい」と思ってもできません。そうするための具体的な手段がないからです。

あなたが自分の好きなように読書を楽しむ。そのためのツールのひとつとして、カットイメージを憶えておいて損はないと思います。

もちろん、せっかくならカットイメージの効果をもっともっと実感したい、カットイメージで読む体験をさらに深めたい、という方もいるでしょう。

そのためには、少し本気でカットイメージのトレーニングに取り組む方法も、次の章でお伝えしようと思います。

第7章

カットイメージのトレーニングを続けよう

Chapter 19

カットイメージで小説を楽しむ力をつける

1 読書を楽しむための基礎トレーニング

前節までステップアップで、カットイメージ・リーディングとは何かを理解し、実際の小説を使って読み深める体験をしていただきました。

いかがだったでしょうか。よろしければ、第1章でご紹介した受講生の方々の体験談を、もう一度眺めてみてください。

あなた自身の体験を通じてなるほどと納得のいく点が、いくつか見つかるかもしれません。

ここで紹介したカットイメージの作業自体は、**小説を楽しむ力を高める基礎トレーニング**だと考えてください。

それは、スポーツにおける基礎トレーニングと同じです。

試合で高度なパフォーマンスを発揮するスポーツ選手も、日常のトレーニングでは、ランニングなどの有酸素運動で心肺機能を高め、素振りなどの基礎練習をくり返します。体づくりのための筋トレやストレッチも欠かせません。

同じように、**読書をより豊かに楽しむために、脳のパフォーマンスを上げる基礎トレーニングがあるとすれば、「カットイメージ・リーディング」**が、まさにそれです。

若者からシニアまで、年代を問わずフィットネスジムの利用者が増えていますが、スポーツ選手にとっては基礎トレーニングに過ぎない有酸素運動や筋トレそれ自体を、趣味として楽しむことができます。始める動機はシェイプアップや健康維持だとしても、体を動かすこと自体の気持ちよさ、楽しさがあるから続けられるのです。

それと同じように、**カットイメージの作業自体を楽しむ**ことができます。カットイメージで小説を読むことを定期的に続ければ、脳の読書機能がどんどん活性化し、読書をより豊かに楽しめる脳に変わっていくはずです。

年齢による集中力や思考力の低下を感じている方には、読書を楽しみながら長く続けられる「**脳トレ**」としてもお勧めします。

2 気軽に実施するためのヒント

その意味では、カットイメージ作業の形式にはこだわり過ぎず、気軽に試して、あなたなりの習慣に取り入れてほしいのです。

そのためにも、第6章では**簡易式の区切り線（横棒1本）**を提案しました。

線を引かずに頭の中だけでやる、という考えもあるかもしれませんが、経験的に言って、横棒1本でも「線を引く」ことの効果はあなどれません。線を引いていくことで、イメージは確かに見えてくるのです。

「簡易式」で効果が実感できたら、ときどきは上から下まで線を引く**スタンダード**をやってみるといいと思います。

縦線で挟まれた部分が1枚のカットイメージと対応するので望ましいことは、前にも書きました。そうして、第二段階のボトムアップまとめまでする作業を、カットイメージ・リーディングの**「スタンダード」**とします。**↓次ページの表を参照**

文庫本などを使ってスタンダード作業をやる場合、少し面倒ですが、あらかじめ各ページの下にボールペンで**エンドライン**を引いておきます（**図参照**）。そうすると、線がき

カットイメージ作業の三つのレベル

① **簡易式（横棒1本で）**
大きな区切りは2本線。さらに大きなまとまりに縦線。厳密でなくてよい。長編向き。気軽にできる。

② **スタンダード（縦線で区切る）**
第二段階を5枚以内にまとめて線を伸ばす（ボトムアップまとめ）

③ **フルコース（ポスターづくりまで）**
スタンダードに加え、ネタバレ・ポスターを考え、概略図を描いて説明する。

文庫本、単行本の場合

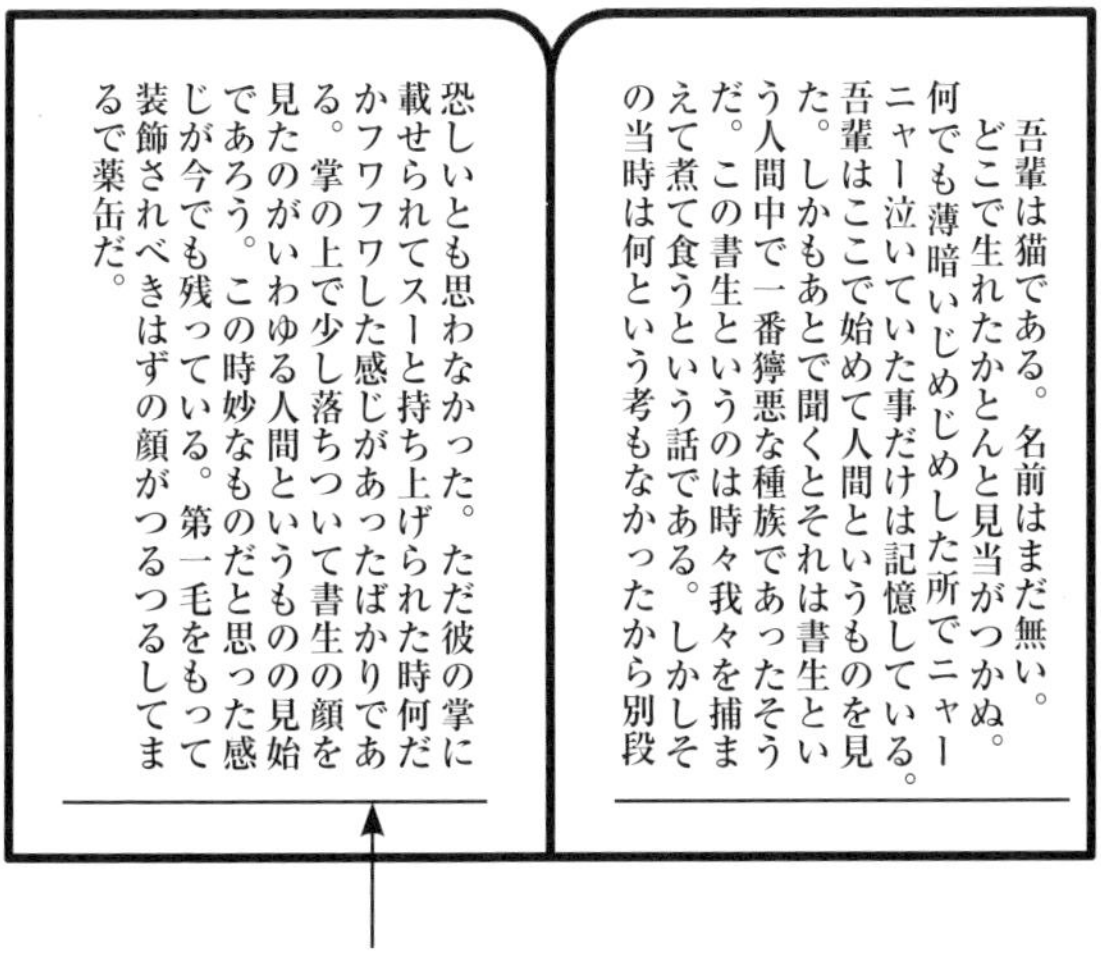
吾輩は猫である。名前はまだ無い。
どこで生れたかとんと見当がつかぬ。
何でも薄暗いじめじめした所でニャー
ニャー泣いていた事だけは記憶している。
吾輩はここで始めて人間というものを見
た。しかもあとで聞くとそれは書生とい
う人間中で一番獰悪な種族であったそう
だ。この書生というのは時々我々を捕ま
えて煮て食うという話である。しかしそ
の当時は何という考もなかったから別段
恐しいとも思わなかった。ただ彼の掌に
載せられてスーと持ち上げられた時何だ
かフワフワした感じがあったばかりであ
る。掌の上で少し落ちついて書生の顔を
見たのがいわゆる人間というものの見始
であろう。この時妙なものだと思った感
じが今でも残っている。第一毛をもって
装飾されべきはずの顔がつるつるしてま
るで薬缶だ。

読む前に、全ページに
ボールペンでエンドラインを引いておく。

ちっと止められるし、鉛筆で引いた線を消しゴムで何度も消しては考える作業がストレスなくできます。

そうして、第4章の『子猫』まででお伝えしたカットイメージ分けをしていきます。読んでいるうちにもし**1行に2か所以上の区切り**を入れたいところがあったら、縦線にこだわらず**簡易式の横棒1本**で済ませましょう。狭い行間に無理に複数の縦線を入れるより、ワンフレーズでも1枚のカットになると思ったら、横棒1本で気軽に区切っていくことが大切です。

スタンダードでは、細かく縦線を入れたあとに、第二段階で5枚以内にまとめます。その場合の**作業範囲**はどう考えたらいいでしょうか。

子猫を前編と後編に分けたように、小説は短編でもいくつかの大きな区切りがあるものです。1行あけでそれを示してくれていることも多いので、そこで分けるとたいていうまくいきます。

1行あけがない場合、数ページで場面が変わったところを自分で見つけて作業範囲とします。その範囲を探すこと自体が、全体の構成を意識するので、読みを深めることにつながります。

そうして、二段階作業で読みを深めてから次を読んでいくのです。

3　小中学校生、高校生、大学生、研究者の方に

さらに全体のポスターづくりまで進むのが**「フルコース」**です。かなり頭をしぼる作業ですが、やり遂げれば、その作品の意味を自分なりにしっかりとつかんだ実感が得られます。

とはいえ、ふつうに読書を楽しむ範囲では、フルコースまでやるのはなかなか厳しいと思います。

スタンダードやフルコースの実施をぜひお勧めしたいのは、小説を学習や研究の対象とする、**小中学生・高校生、文学部などの大学生、文学研究者の方**です。

小中学生・高校生のみなさんは、国語の授業で小説を学ぶときには、スタンダードの二段階作業を予習や復習でやってみてください。細部まで深い理解が得られ、記憶に残ります。そして、その小説についての自分なりの考えも自然と浮かんできます。

授業の中で、誰よりも（もしかしたら先生よりも）深い作品理解ができ、先生が何を問題にしているのか、生徒の意見がどのように食い違っているのかなどが、手に取るようにわかるでしょう。

また、復習としてカットイメージをふり返って読み、ポスターづくりまでしておくと、テスト対策はバッチリです。

……と言いたいところですが、国語の試験問題は、選択肢の嘘を見抜く力など、別の能力が要求される面もあり、カットイメージによる読解力の向上を正しく評価できるとは限りません。また、試験対策としては、語句や漢字の問題、文学史の知識など、その先生の出題傾向に沿った準備が必要です。

国語の授業手法としてカットイメージがまだまだ一般的でないのは、ひとえに私の責任です。しかし、学校というものの保守性もあり、私としては地道な努力を続けることで、共感してくれる先生を増やしていくことしかできない現状です。

実は、この本もその戦略の一つですが……。

文学を学ぶ学生の方の場合、日本文学・外国文学、近現代文学・古典文学などを問わず、小説（物語）を取り上げて論じるレポートやプレゼンなどの課題には、カットイメージが威力を発揮します。ボトムアップの二段階まとめとポスター作りまでやると、テキストの深掘りという点では十分な準備ができます。

そのうえで、第二段階のカットを並べて作品の構成を示したり、ポスター・イメージを概略図で説明したりすれば、プレゼンでもレポートでも、説得力のある作品論を展開できるでしょう。

もちろん文献研究も必要ですが、カットイメージで読み込んだあとに、その作品を論じた先行研究を読むと、内容がよくわかり、ときには的外れな解釈だと感じることも出てきます。そうすれば、それがまたレポートの核になったりするのです。

カットイメージによる研究を積み重ねて、卒業論文、修士論文をまとめることもできると思います。

大学などで文学を専門に研究されている先生方は、この本でカットイメージを体験してどうお感じでしょうか。

文学研究におけるカットイメージの活用は未開拓であり、未知数ですが、きっと新たな地平を開くものと私は確信しています。

見識ある文学研究の先生方には、ぜひカットイメージを研究に活用していただき、その成果を交流できれば、たいへんありがたいと考えています。

4 イメージする技能を伸ばす努力

第5章で「カットイメージなら、自分好みのオーダーメイドの映画がつくれる」と述べましたが、実を言うとそう簡単ではありません。

カットイメージで小説を読めば読むほど、だんだん**「うまくイメージできない」という壁**に突き当たります。

その一つが、**「イメージする技能が未熟だ（もっと思い通りにイメージを描きたい）」という気持ち**です。

私のような絵を描くのが苦手な人間は、絵は描けないが心の中のイメージなら技術に束縛されず自由に描けると思いがちです。しかし、イメージを心に描くことも、本気でやろうと思ったら、絵を描くことと同じくらいたいへんなのかもしれません。

絵を描くこと自体、よく考えてみると、心の中に完璧なイメージがあって、それを紙面上に写すという単純なものではなく、絵を描きながらイメージをつくっていくプロセスなのでしょう。

つまり、心の中に漠然としたイメージがあって、それを形にしたくて絵を描いていく。その過程で「そうだ、これだ」と見えて来るものもあるし、「こういうイメージじゃないな」と描き直し、もやもやしたイメージが次第に形になっていくのではないでしょうか。

絵と違ってイメージは他人の目に見えず比較される不安がないので、ふだんは巧拙を気にしませんが、「もっとリアルですごいイメージを体験したい」と向上心を持つと、絵を描くのと同じように思い通りのイメージを描けないもどかしさを感じるのだと思います。

大富豪がお金をいくら積んでも、現実には監督と何度もやり取りしなければ、自分好みの映画はできないのと同じように、**カットイメージを自分好みにつくるにも、実は努力がいる**のです。

だから、カットイメージを使って小説を読み続けるということは、デッサンの練習のようにたゆまない努力を重ねて、イメージする能力に磨きをかけていくことなのだと思います。

それは必ずしも楽ではないかもしれませんが、進歩のある楽しい道に違いありません。

5
インプットの意識が変わる

〝イメージが描けない理由〟は、ほかにもあります。それは、「**イメージをつくる材料が足りない**」からです。そこから、**インプットの重要性**に気づいていきます。

例えば「スリランカのシギリヤロック」と書いてあっても、写真ですら見たことのない人は、イメージすることが難しいでしょう。

もちろん小説なら名前だけでなく、様子が描写されるので、イメージすることはできます。しかし、漠然としたイメージだったり、テレビで見たことのある「エヤーズロック」（オーストラリア）のイメージで代用したりということになります。

もっとありありとイメージしたいと思うと、画像検索をして写真を見るでしょうし、あまりにも印象的な描写だと「いつか訪れてみたい」という気持ちにさえなります。

つまり、カットイメージで小説を読んでいると、「知らないからイメージできない」と材料不足を痛感するので、**「もっと知りたい」、「もっと経験したい」という知的好奇心が広がる**のです。


インプットの意識が変わるのは、それだけではありません。

知らないものをイメージできないのは当然ですが、「イメージしよう」と意識していくと、**「知っているのにイメージできない」**という衝撃の事実に直面します。

例えば、私たちが毎日使っている千円札のデザイン。野口英世の顔かたちや文字の配置を、ありありとイメージできるでしょうか。

あるいは、自分がふだん持ち歩いているカバン、いつも乗り降りしている最寄り駅の駅舎、毎日見ている家族や同僚の顔……。それらをイメージとして心の目で見ようとすると、いかに自分が「見ているようで見ていないか」に気づきます。

カットイメージで小説を読むと、「猫」を単なる意味の理解で済まさず、猫の毛色や体つき、顔つき、動作などをイメージしようとするので、次に実物の猫と出会ったとき、毛並みはどうか、どんな動きや表情を見せるだろうかと、知らず知らず猫を観察している自分に気づいたりします。

つまり、私たちはふだん周りのものをちゃんと見ていないのです。「猫がいる」とわかれば終わりです。それは生活していく上で必要な情報処理ですが、それですべてを見過ごしていると、私たちの心はだんだん潤いのないものになっていく気がします。

ときにはものをきちんと見てみると、いろいろな発見があり、身近にあるおもしろさや豊かさに気づくことができます。

カットイメージで小説を読んでいくことは、**「もっと知りたい」という知的好奇心や「もっとよく見よう」という観察の意識**を高め、**私たちの記憶の貯蔵庫に豊かなイメージを増やしていくことにつながる**のです。

6 映画や絵画からイメージのつくり方を学ぶ

さらにもう一つ、先に述べた「イメージする技能を伸ばす」ためにも、インプットが重要になってきます。**他の人のイメージから「つくり方」を貪欲に学ぼうとするようになる**のです。

つまり、「この場面をどんなイメージにしたらいいか」、「映画だったらどうか」と自問自答していると、実際に映画を観たときに、どんな撮り方や映像づくりをしているかと、意識して観るようになります。

また、絵画やマンガなどの静止画でも、自分のイメージづくりの参考にしようとして、アングルや構図、配色などが気になってきます。

そうして、イメージのしかたのバリエーションが増えていくと同時に、映画鑑賞や美術鑑賞、マンガを読むのが深くなり、楽しくなっていくのです。だから好きな映画はくり返し観て楽しいし、好きな絵はいつまで観ていても観飽きないのです。

こうして、**カットイメージで小説を読み続けることは、イメージする力を伸ばすと同時にインプットの意識を変え、周囲の情報をより豊かに吸収し、楽しむ生活につながっていくのではないでしょうか。**

そのためにも、カットイメージはぜひ気軽に試して、続けてほしいのです。

あるいは、ここまで読んで、もう少し本気でカットイメージ・リーディングのトレーニングに取り組んでみたい、と思った方もいるかもしれません。

そうした皆さんのために、次は「**カットイメージの独習プログラム**」をご紹介しましょう。

Chapter 20 カットイメージ・リーディング独習プログラム

1　4種類の教材タイプで考える

ご自分でカットイメージの練習に取り組み、成果を得たい、という方のために、一人で進められるプログラムを提案します。

と言っても、ご自分で自由に教材を選び、進め方もフレキシブルに換えられる、**あなた自身でつくるプログラム**です。

そのためのやり方を具体的にお伝えしていきましょう。

まず教材選びですが、最初に使うのは、「読んだことのある短編（**①既読短編**）」です。

そのあとは、初めて読む短編（**②初読短編**）、読んだことのある長編（**③既読長編**）、初めて読む長編（**④初読長編**）とレベルが上がっていきます。

それを示したのが表です。

	短編	長編
既読	①既読短編 フルコースを実施 スタンダードでもよい 数編くり返す	③既読長編 簡易式で読む 薄めの本がよい （途中からふつうに読んでもよいので気軽に始める）
初読	②初読短編 スタンダードで読む （できればフルコース） 簡易式でもよい 数編くり返す	④初読長編 簡易式で読む （途中からふつうに読んでもよいので気軽に始める）

基本的には①〜④の順で進行しますが、一つのレベルをいくつかの小説でくり返しても大丈夫です。

短編にせよ長編にせよ、既読の小説を使うのは、次のような理由からです。

（1）前に読んだときと比較して、カットイメージの効果に気づきやすい。
（2）先を知りたいという焦りがなく読める。

では、各レベルのやり方を詳しく見ていきましょう。

2
第一ステップ①既読短編でしっかりトレーニングする

最初の教材に最適なのは、読んだことのある、内容をよく憶えている短編です。と言っても、すぐに思い当たらないかもしれません。無理に探すより、**使いたい短編を一度読んで既読短編にしてしまう方が簡単**です。

お勧めなのは、**ショートショート集か一編が短めの短編集**です。その意味で、第4章で扱った内海隆一郎さんの短編集はお勧めですが、内海さんも故人であり1980年代の作品が多いので、既に手に入りにくくなっています。

いずれにせよ、選んだ短編集を今までの読み方でふつうに通し読みします。そのとき、おもしろいなと思った短編に印をつけておきます。その中から一つ選んで、全ページにエンドラインを引いて、最初の教材にします。

スタンダードの**第一段階**作業で、細かくカットイメージしながら区切り線を縦に引いていきます。前にも書いたように、1行に複数のカットが入る場合は無理に縦線を引かず、簡易式（横棒1本）でかまいません。

そうやって読んでいくだけで、初読では気づかなかったことに気づくかもしれません。数ページのショートショートなら最後まで読んで**第二段階**に進み、全体を5枚以内のカットにまとめて、大きな区切り線をエンドラインの下まで伸ばします。10数ページとか数十ページある短編の場合は、1行あけなどを目安に場面の大きな区切りを範囲として作業します。その範囲で第一段階の作業が済んだら、次を読み進める前に5枚以内にまとめて、区切り線を伸ばします。

そして、場面の構造をしっかりつかんでから、次の場面に進み、また細かなカット分けをしていきます。大きな場面ごとにボトムアップの二段階作業をくり返すのです。

そこまでやれば、思いがけないことにいくつも気づき、カットイメージの効果を実感できると思います。

しかしそこで満足せずに、作品全体を5枚以内のカットイメージで考えてみましょう。さらに「**ポスターづくり**」までやってみてください。1度読んだときには気づけなかったその作品の意味が、しっかりと腑に落ちる体験ができると思います。

さて、短編集の中で一つの作品が終わったら、別の短編にもチャレンジします。その短編集をすべてやってもいいし、惹かれるものが少なければ、別の短編集に移り、また通し読みするところから始めます。

これが**第一ステップ「既読短編」のトレーニング**です。

3

第二ステップ　②初読短編で作品の仕掛けを楽しむ

次の第二ステップでは、**まだ読んだことのない短編**にチャレンジします。

読みたい短編集の最初の作品から始めてもいいし、タイトルだけは前評判で知っているような、とくに気になる短編があれば、それから読んでもかまいません。

このステップでは、ショートショートか長めの短編かに関わらず、最初に通読しません。**まず大きな場面の区切りまでカットイメージで読み、第二段階まで作業してから、次の場面へ進みます。**

先がわからないまま、場面場面を深く読み込んで先へ行くので、物語を読み進むにつれて得られる感動が深まります。

短編（とくにショートショート）では、結末の意外性にポイントがあることが多いので、最後まで一気に読んではもったいないのです。

ある程度読んだら場面の区切りを見つけて立ち止まり、そこまでを5枚以内にまとめてから読み進む方が、より楽しめます。『子猫』で体験していただいたような感覚が味わえるのです。

このやり方で読んでいくと、もしかして最後まで読む前に結末の予想がついてしまう、ということも起きるかもしれません。それは、カットイメージの練習を通じて、細部の伏線まで読み取れるようになった結果で、あなたの読む力がついてきた証拠です。

あるいはそれは、その作品の浅さとか仕掛けの甘さかもしれません。そうすると、仕掛けの巧みさについての要求水準が上がり、作品の良し悪しを見分ける眼も、あなたなりにできていくのだと思います。

この方法で一冊の短編集を読み切ると、かなりカットイメージに習熟し、カットイメージで読む楽しさを体験できるはずです。

4 第三ステップ　③既読長編で深読みの醍醐味を発見する

「長編小説」という言葉はあいまいです。厳密には「中編小説」ということばもあるのですが、ここでは使わず、短編の上は長編とします。要するに、文庫本か単行本1冊で

1編ならば「長編」ということです。

初めてこのステップに取り組むときには、できればあまり厚くない本（200ページ以内）が望ましいですが、カットイメージで再読したいと思うほどお好きな小説ならば、厚さは問題になりません。

ここからは、**第一段階の区切り線は縦線を使わず、簡易式で進めます**。したがって、ページの下にエンドラインを引いておく必要はありません。

簡易式なので、細かなカットを見つけていければそれでよしとします。大きな区切りが見つかれば2本線や縦線で引くのはかまいませんが、必ずやらなければならないものではありません。

この作業をすると、以前に読んで覚えていると思っていた小説の中に、まったく記憶になかった箇所があったり、以前はまったくイメージせずに読んでいたことに気づいたりします。

それを楽しみながら、じっくりと読んでいってほしいのです。

私が初めてカットイメージで通し読みした長編小説は、**ヘルマンヘッセ（高橋健二訳）の『シッダールタ』**でした。

ドイツ人でありながら、東洋思想に深いあこがれを持ち、造詣も深かったヘッセが、仏陀の時代の古代インドを舞台に、道を求める1人の人物の生涯を描いた小説です。

仏陀の幼名「シッダールタ」の名を冠しながら、単に修行に励み道を求めるだけではなく、商人になって金銭欲や色欲に溺れたり、子を持ち〝親馬鹿〟の感情にまみれたりなど、人として生きる道をあがき求める中で、理想の境地へと達していく、仏陀とは異なる人物像をヘッセは創造したのです。

私の愛読書で、カットイメージで読む以前に2回は再読していました。厚い本ではないので、これを、初めてカットイメージで通読するテキストとして選びました。

そのときは簡易式のやり方をまだ開発していなかったので、全ページにエンドラインを引き、鉛筆ですべて縦線を引きながら読み進めていったのです。

くり返し読んだはずなのに、カットイメージで読んでいくと、初めてのように新鮮な場面が多く、ワクワクして読み進めることができました。

そして、場面場面に込められたヘッセの人間理解の奥深さを感じ、**本当の意味で自分の愛読書になった**と実感したものです。

5 第四ステップ　④初読長編でワクワクと作品世界を旅する

初めての長編小説を、簡易式ですべてカットイメージして読むのが、第四ステップです。

ここでは、カットイメージで個々の場面をしっかりとイメージしながら、「次はどうなるのだろう」というワクワク感をもって長い物語を読み続け、**展開のおもしろさと結末の感動を深く味わうことができます。**

これはまちがいなく、今までにない体験です。まさに、「映画を観ているみたいに」小説を読む楽しさは、ここに尽きると思います。

このステップで私が初めて読んだ小説は、**又吉直樹さんの『火花』**でした。

現役のお笑いタレントがお笑いタレントの世界を描いて芥川賞を受賞した、というくらいの知識しかなかったので、あえてそれ以上、情報を入れずに読み始めました。

やはりエンタテインメント性が評価される「直木賞」とは違い、冒頭から引き込まれていく、という感じではありません。なかなか地味な展開だなと思いながらも、簡易式の線を入れて、丁寧にイメージしながら読んでいきました。

主人公が「師匠」と仰ぐ先輩芸人との交流が話のメインですが、2人の会話が、ときにお笑いをめぐってかなり哲学的な議論になるときがあります。それを読み飛ばさずに意味を理解し、人物の動作や表情としてイメージし、区切り線を入れていきました。

すると、自由奔放にお笑いに徹する師匠と比べて、未熟で臆病な自分を恥じ、世間を気にして劣等感にまみれる主人公の心情が伝わり、読みながら切なくなっていきます。

読み終えたとき、結末のシーンは視覚イメージとして鮮烈に脳裏に焼きつきました。お読みになった方はおわかりでしょう。

しかし、残念ながら結末の感動といったものではなく、「なんだろう、この結末は」という気持ちでした。正直、意味がわからなかったのです。

しかし、その後も日常の中で、結末のシーンを初め、いくつかのカットイメージが心に浮かんでは消えていました。

すると、3日くらいして突然、結末のシーンの意味がストンと腑に落ちたのです。あ、そうか、そうかと思いました。

そうすると、それまでのいくつものカットイメージがつながり、物語の全体像が見えた気がしました。そのときに初めて、この物語への感動を覚えたのです。

カットイメージを使わず、なんとなく読んでいたら、この体験はなかったと思います。

そうした体験からも、私自身、四つのステップの中では、**④未読長編をカットイメージで読むのが、もっとも小説を読む醍醐味を味わえる方法**だと感じます。

とはいえ、いざやるぞ、と構えて取り組むと大変です。

ここまで来たら、あまり無理せず、気楽に取組みましょう。

とりあえず簡易式なので、いつやめてもいいし、気軽にスタートしてみればいいのです。めんどうになったら、というより、どんどん先を読みたくなって、カットイメージのブレーキを外したいと感じたら、鉛筆は置いてフリーハンドで読んでいきましょう。

そのあとで、途中からまたカットイメージ分けをしたくなったら再開すればいいのです。

大切なことは、カットイメージをいやいややらない、ということです。カットイメージの作業は心にイメージが浮かんで楽しいからやるので、義務でするものではありません。

途中でやめるつもりで気軽に始めたら、イメージがどんどん浮かんで楽しいので、とうとう最後までカットイメージで読んでしまった、というのが理想です。

もちろん、読み始めた小説が「期待したものと違った」、「時間をかけて読むほどのものではないな」と思ったら、線を引くのはやめてサクサク読んでいけばいいのです。

6

日常の読書がトレーニングになる

今説明した四つのステップを、一度はやってみることをお勧めします。

と言っても、最低限きっちりやらなければならないのは第一ステップくらいで、あとは第二ステップを含めて、簡易式で手軽にやっていくのも大いにありです。

まずは、第一ステップでしっかりとカットイメージの基礎を身につけてください。そうしたら、あとは第二～第四のステップを意識して、ふだんの読書の中でカットイメージを気軽に応用してみてほしいのです。

たとえば、本を開いて集中できないな、と思ったら、鉛筆を取り出してちょっとカットイメージ分けをしてみます。簡易式で1、2ページか、あるいはそれ以上、切りのいいところまでやってみてください。

それによって脳のエンジンがかかってきたら、あとはふつうに読んでいきます。要するに**脳のウォーミングアップとして使う方法**です。

実際に鉛筆で線を引くことの大切さは何度でも強調しておきますが、満員電車でするわけにもいきません。

そんなときは、最低限、頭の中で線を引くつもりでカットイメージを思い浮かべながら読んでいきます。

登場人物の顔は？　服装は？　表情は？　とか、場所はどんな場所だろう、このカットはどのアングルから撮っているか、などと、**イメージを深める自問自答**をします。

そうしたやり方で数ページ読み、イメージが立ち上がってきたら、あとはイメージを心の中に置きつつ、意識的な努力はやめて自由に読んでいきます。

そうしてふだんの読書で使うようにしながら、ときどき独習プログラムに戻って、フルコースで気に入った短編を読み深めたり、簡易式で長編小説を読破したりすることで、**スキルのブラッシュアップを図る**のがいいでしょう。

そうして、カットイメージ・リーディングが身につけば、**読み方のバリエーション**が増え、読書をもっともっと楽しめるようになる。それがこのプログラムの目的です。

7

読んで発見したことを発信する、話し合う

カットイメージで小説を読んでいると、多くの発見があるので、それを人に話したくなるかもしれません。カットイメージの**セミナーやトークセッション（読書会）**はそうした交流のできる場です。

本で独習している方はそれが難しいので、インターネットで探して、その作品について書いているブログなどを読んでみてください。他人の感想を読むと、ますますいろいろなことが言いたくなります。

ご自分でもブログをやっている方や、ＳＮＳで投稿のできる方は、ぜひ書き込んでみてください。その際に、この本とカットイメージ・リーディングについても触れていただくといいと思います。

もちろん、友人や家族と同じ作品をカットイメージで読み、話し合うのも楽しいでしょう。その場合は、カットイメージの基本的なやり方をこの本の第3章で一緒に学び、ノウハウを共有してから、同じ短編（ショートショート）をカットイメージで読んで、話し合います。

その際には、第一段階のカット分け枚数を発表し合うだけでも、違いがあって興味深いものです。

それをきっかけに、どんなイメージかを自由に話し合うと、とても楽しく盛り上がります。

第一段階で「どこで分けたか」は、重箱の隅を突くような議論になりがちなので、避けた方が賢明です。第二段階の大きなまとめをどこで分けたかを出し合い、どんなイメージなのか話し合うと、気づきが多いと思います。

いずれにしても、正解や優劣を求めるのではなく、同じ小説を読んでもこんなにいろいろなイメージがあるのだと、**多様さに目を向けることが、楽しく、学びの多い話し合いにするコツ**です。

以上、**カットイメージ・リーディングの独習プログラム**をご紹介しました。

　いろいろな進め方が可能なので、あなた自身のニーズや事情に応じてまずは試してみてください。次の方向性は、体験してみたあとで決めればいいので、まずはやってみることをお勧めします。

第8章

カットイメージが開く豊かな読書の世界

Chapter 21 受講生が体験したさまざまな効果

1 カットイメージがもたらす効果の鳥瞰図（ＫＪ法図解）

カットイメージの独習プログラムをご紹介して、この本でお伝えしたかったノウハウはすべて伝えきれたと思います。

くり返しますが、カットイメージは気軽に試してみて、あなた自身にメリットがあると感じられたら、ぜひ継続してほしいのです。

最後に、そうした**カットイメージの実践によって期待できる未来**について書いておきたいと思います。

カットイメージの効果としては、即座に得られるものもあれば、継続した末に現われる変化、さまざまな条件がそろったときに体験できるものもあります。

カットイメージの効果

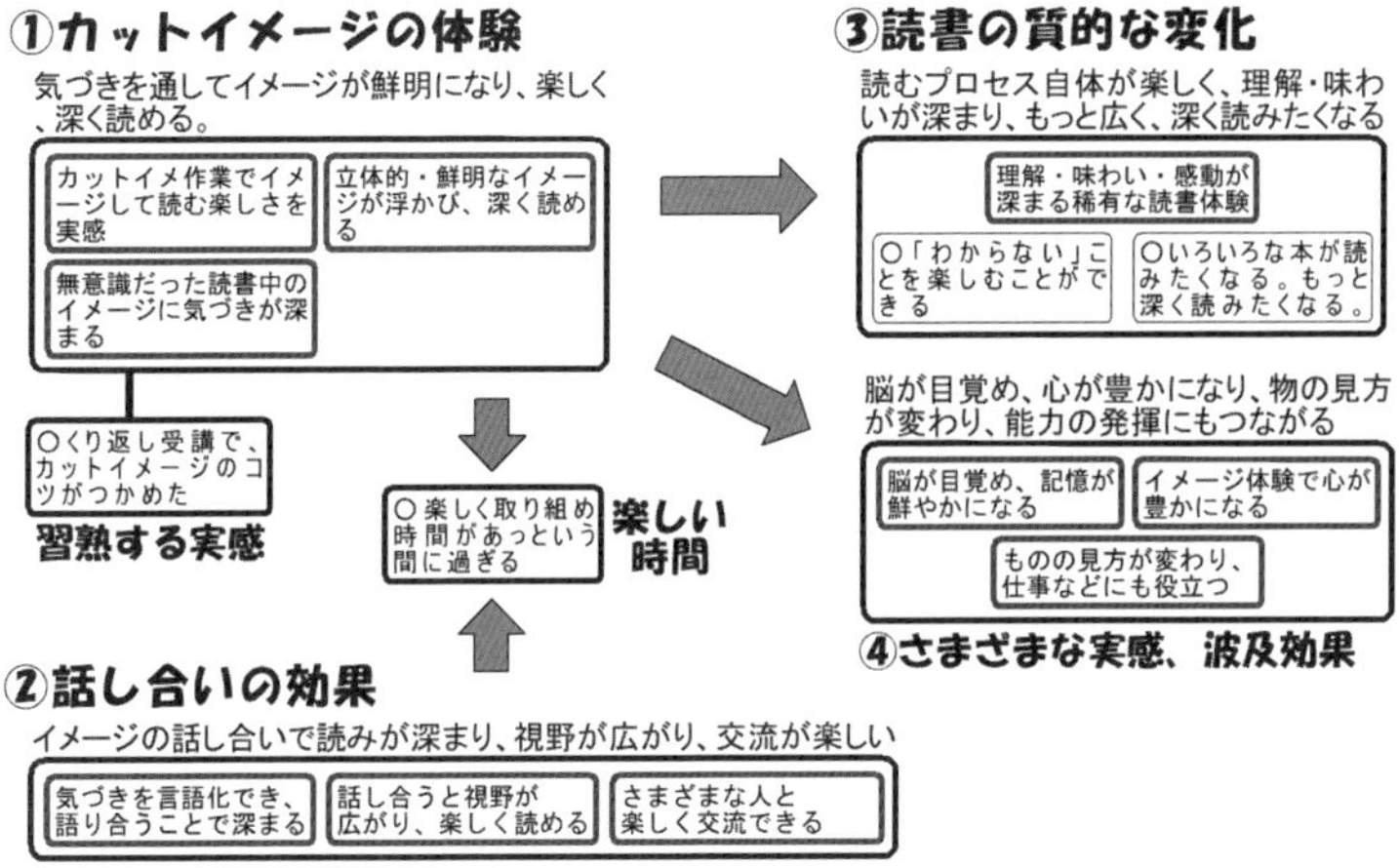

山崎茂雄『カットイメージ読解法の研究（8）――都民向け公開講座受講者による体験報告のKJ法整理――』（2018日本教育心理学会第60回総会発表論文集P 511）より

この本を読み終えたら、次はあなた自身でカットイメージの練習を継続する気持ちになっていただけるように、この章では、カットイメージを続けることによって見えてくる世界の一端を、お目にかけたいと思います。

図は、公開講座受講生の感想からカットイメージの効果を整理した「KJ法図解」です。

一番小さい四角は、受講生の感想文から抽出された感想をもとに、似たいくつかの感想をまとめたものです。

カードに書き出した一つ一つの感想の断片を、最初から大きなまとまりで分類するのではなく、1枚1枚の意味を丁寧に読み味わいながら、似たものを2、3枚合わせ、見出しの文を考えていきます。
さらにまとまりとまとまり同士の共通性を探して、より大きなまとまりを見つけて見出しをつけます。それをくり返して、結果として見えてきたものが、この全体像なのです。

文化人類学者の**川喜田二郎氏が開発した「ＫＪ法」**は、バラバラの取材データを先入観で分類するのではなく、一つ一つの意味をしっかりと聞き取って共通の意味を見つけていく、**「データをして語らしめる」**手法です（川喜田二郎『ＫＪ法～混沌をして語らしめる』中央公論社）。
この方法論は、実は、カットイメージ・リーディングでカットをボトムアップで整理していくという発想の原型になっています。

それはさておき、この図の元データは、２０１６～２０１８年に実施した公開講座の受講生30人からいただいた感想文から抽出しました。講座は４週連続で、感想文は毎回、講座のふり返りを自宅課題で書き、次の回で出していただいています。最終回のみ、その場で書いて提出したものです。
受講生の男女比はほぼ同率、年齢は20代～70代ですが、27人は50代以上です。回答の中から、カットイメージ・リーディングについての体験・実感など、「効果」についての記述を抽出し、80個の報告が得られました。

それをKJ法の手順にしたがってまとめた結果、この図解のような全体像が見えてきたのです。初めから考えていた分類ではありません。

本来の図ですと、80個の個々の感想が一番小さな枠で、それらを積み重ねてこの全体像ができていることがわかるのですが、細かすぎるので、ここでは全体の大枠のみを示しています。しかし、ボトムアップでまとめた雰囲気は感じていただけると思います。

一番小さい四角のうちで、文頭に○がついているのは、2~3枚の感想カードを最初にまとめた見出しで、生の声にかなり近いものです。これらは大きな島に取り込まれることなく、ここまで残ってしっかりと存在を主張しています。少数意見が埋もれてしまわず、まとめていくうちにその真価を発揮するというのが、KJ法の優れた点です。

この図を見れば、**カットイメージ・リーディングの練習を続けることでどんな効果が期待できるのか**、ひと通り概観できると思います。

では、図中の番号に沿って内容を見ていきましょう。

2

①カットイメージの体験

左上の大きな囲み「①カットイメージの体験」では、カットイメージで小説を読んで得られる体験を「**気づきを通してイメージが鮮明になり、楽しく、深く読める**」とまとめました。

立体的・鮮明なイメージが浮かぶだけでなく、読書中に自分の頭の中で起こっているプロセスへの気づきが深まる、という点が重要です。その結果、深く読めるし、読書が楽しくなるのです。

受講生の中にはくり返し受講している方が何人かいますが、そうした方々からは、「**コツがつかめた**」と「**習熟する実感**」が報告されています。これが、続けることの効果です。

1回ないし数回の体験でも今までにない実感は得られますが、くり返し継続することで、さらに気づきが深まり、新たな世界が開かれていくのです。

それについては、またあとの体験記で見ていくことにします。

3

②話し合いの効果

「②話し合いの効果」は、講座ならではは体験です。**「イメージの話し合いで読みが深まり、視野が広がり、交流が楽しい」**などの実感が得られています。

自分でイメージしているだけではなく、そのイメージを他人に説明しようとすると、イメージはさらに鮮やかに見えてきます。

また、カットイメージをしていると、自分の中にイメージが浮かんでいるのと同様に、他人の心の中でもそうなのだろう自然に想像できるので、他人のイメージの話を素直に聞くことができます。

しかも、他人が語るイメージもまたイメージして聞くので、さらにイメージが広がり、豊かになっていくのです。

だから、一つの小説をめぐってイメージを語り合うことは楽しく、性別、年齢、職業や知識・経験を問わず、対等に話し合い、互いに学び合える。それが、私自身、受講生の皆さんの話し合いをサポートしていていつも感じることです。

そうしたカットイメージの内面的体験の深さと、話し合いの効果で、**「楽しい時間」**が**「あっという間に過ぎる」**というのも、多くの方が口をそろえる感想です。

4 ③読書の質的な変化

やはり何回か受講した結果として、「**読むプロセス自体が楽しく、理解・味わいが深まり、もっと広く、深く読みたくなる**」という「**③読書の質的な変化**」がいろいろと報告されています。

それらは「稀有な読書体験」と言えるものですが、たとえば次のような感想があります。

- ▼主題・人物像など、ふつうの読み方では得られない深い理解、気づきがある。
- ▼主人公の気持ちに寄り添うことができ、味わいや感動が深くなる。
- ▼読み進むにつれてイメージが変化したり、思わぬ展開に心から感動したりなど、ほんとうにミステリアスな読書体験を楽しめる。

さらに「『**わからない**』**ことを楽しむことができる**」という感想は、疑問を持ち、テキストをくり返し読んで深く考えていくことのおもしろさを言っています。

また、読書への視野が広がり、今まで自分が読んだことのなかったジャンルや作家など、「**いろいろな本がもっと読みたくなる**」というのも、多くの受講生から聞くことばです。

5

④さまざまな実感、波及効果

他に、「**脳が目覚め、記憶が鮮やかになる**」、「**イメージ体験で心が豊かになる**」、「**ものの見方が変わり、仕事などにも役立つ**」などの「**さまざまな実感、波及効果**」が報告されています。

カットイメージを初めて体験して「**眠っていた脳の細胞が活性化したようだ**」という感想は、よく聞かれます。

これは、皆さんもこの本で実感されているかもしれません。

さらに、「**作品の内容やイメージが深く記憶に残り、鮮やかに思い出せる**」といった感想も多くあります。この「**記憶の質的な変化**」については、のちほどまた具体的に考えます。

「**イメージ体験で心が豊かになる**」というのは、例えば「日常を離れて読書イメージの世界に浸る時間を持つと、心が癒され、日常に戻っても優しい気持ちになれる」という報告などです。

また、小説を読んで浮かんだイメージが自分の記憶の一部のようになり、「人生の経験が増えたような感じです」といった感想もありますが、これについても、のちほどまた「記憶の質的な変化」で詳しく見ていきましょう。

さらに、**「ものの見方が変わり」**というのは、テレビや映画を観てカットやアングルを意識する、日常生活の中でものをよく観察するようになる、などの変化を言っています。

「仕事に役立つ」例として、第1章でも紹介しましたが、プレゼンテーションスライドを作成するときに、カットイメージのように心の中にスライドを並べ、効果的な見せ方を考えられるようになった、と報告してくれた公務員の男性がいました。

また、**「仕事の段取りを考えるときにイメージで考えるようになった」**、**「仕事相手とのやりとりを、自然にイメージトレーニングしている」**などの報告もあります。

カットイメージで本を読むこと自体が、ものの見方を広げたり、思考力や行動意欲を高めたり、心を癒したりといった、イメージトレーニングやイメージ療法と類似の効果をもたらすと考えられます。

カットイメージによって読書が深いイメージ体験になり、イメージのもたらすさまざまな恩恵が手に入る、と言ってもいいでしょう。

その具体的で顕著な例として、最後に、ある受講生の体験記をご紹介したいと思います。

Chapter 22

読書がもう一つの人生体験になる（ある受講生の体験記①）

仲川里恵さん（仮名　30代　会社員）は、公開講座やトークセッションに何度か参加した方ですが、あるとき「**小説を読んで心に浮かんだイメージの記憶と、実際に体験した出来事の記憶とが自分の中で似た感じになっている**」と発言されました。

そのことばは、私自身がカットイメージを実践する中で感じていたことと同じでしたので、さらに突っ込んでお話を伺いました。すると、また別の興味深い体験もお話の中に出てきました。

その体験談を、ぜひにとお願いして、書いていただきました。とても素晴らしい文章なので、ご本人の許可を得て、このあと前半と後半に分けて掲載します。

この体験記を通じて、「**カットイメージを続けることで見えてくるさらに豊かな世界**」を想像していただければと思います。

仲川里恵さんの体験記　前半

私が読書をするのは主に通勤電車です。宮部みゆきさんや東野圭吾さんの小説が好きですが、むさぼり読むほどではありません。

想像力や集中力に自信はなく、読むのが遅いと思っています。その結果、買う本の冊数に、読む方が追いつかないという状態がずっと続いていました。

そんなとき、カットイメージ・リーディング入門講座のチラシを目にしました。「読書中のイメージ体験を活性化」、「まるで映画を観ているように物語の世界が心の中に展開」、「集中力が高まり、鮮やかに記憶に残る」といった謳い文句に惹かれました。

受講してみると、非常にシンプルなやり方なのに、確かにイメージへの集中が高まり、物語の世界に没入していくのがわかります。小説の内容についていろいろな発見があるので、じっくりと読むことのおもしろさに気づけました。

教室では毎回、受講生同士が話し合うので、自分のイメージしたこと、感じたことをことばにすると、より鮮明にイメージが見えてきます。

また、他の人のイメージを聞くと、思いがけないことが多く、それもまた楽しみになりました。

以来、公開講座やセミナーに何回か参加させていただきました。また、自分でもカットイメージを応用して小説を読むようにしてきました。

その結果、変化したことはいくつもありますが、とくにうれしいのは、読んだ小説の内容をイメージで憶えているということです。

以前なら、読んだときはおもしろかったのに、あとになるとほとんど内容を忘れていました。カットイメージで読むと、内容をしっかり憶えているのですが、読んだときに心に浮かんだイメージがそのまま鮮明に残っているのです。

さらに、その記憶が、ふとしたきっかけでよみがえります。

たとえば、講座で読んだ小説に、「憑き物がついたみたいに自分の意志を持つ自転車」が出てきました。そのイメージが焼きついてしまって、自転車に乗っているときに、ふと自分の自転車に問いかけてみたくなるのです。

また、マンションの非常階段にずっと座り続けて人々の往来を見続ける少年の物語がありました。街を歩いていて古ぼけた外階段を見ると、それが重なって物語の中に戻るような気持ちになります。

小説で読んだことなのに、まるで自分が体験したことのように実感を持って思い出されるので、人生の経験が増えたような感じです。

受講の動機となった「積ん読」が解消されたわけではありませんが、読む楽しさが何倍にもなったので、あまり気にならなくなりました。

ここで仲川さんが言っている「小説で読んだことなのに、まるで自分が体験したことのように実感を持って思い出される」というのが、私が注目した**「記憶の質の変化」**です。

誤解のないように言っておきますが、第2章でイメージについて「意識は常に目覚め、これは現実ではないという感じが保持されている点で、幻覚や夢とは区別される」と定義したように、ここで言っている感覚は、病的な幻覚とはまったく違います。

自分の記憶と小説の世界の記憶がごっちゃになっているわけではありません。両者ははっきりと区別されているのに、**小説のイメージのリアルさが非常に高まっている**のです。

関連して思い出されるのは、スポーツ選手のイメージトレーニングで五感を使ったリアルなイメージを思い浮かべると、実際、プレイ中のような生理的変化が現われる、という事実です。

そのことについて、「神経言語プログラミング」を応用したコーチングの第一人者である山崎啓支氏は、**「脳は現実とイメージを区別できない」**と言っています（『願いがかなうＮＬＰ』サンマーク出版　Ｐ１１５）。

強烈なイメージは人間の脳にとって、現実の体験と同じ作用をするということです。

例えば、試合で勝ったことのない人は、自分の勝利を確信することができません。すると、不安が大きく、リラックスできないので、効果的な練習ができなかったり、本番で力を発揮できなかったりします。

しかし、リアルな勝利のイメージを体験することができれば、脳はそれを実際の経験と同じように受け取るので、勝った経験のある人と同様に自分が勝つことを信じ、リラックスして試合の準備にあたることができます。

それと似たようなことが、カットイメージで小説を読むときにも起こり得るのです。

「人生の経験が増えたような気分です」という仲川さんのことばは、**カットイメージによる読書が、人生経験の幅を広げ、心を豊かにしてくれる可能性**を示しています。

実際の人生経験は限られていても、読書によってリアルなイメージ体験ができれば、自分が知らない世界や人々について、実感をもって想像したり、思いやったりできるでしょう。それは柔軟なものの見方や、視野の広い判断につながります。

その意味では、小説だけではなくノンフィクションや記録文学をカットイメージで読む、という方法も、現在は未開拓ですが、多くの恩恵をもたらしてくれるだろうと考えています。

Chapter 23

深い自己への癒し（ある受講生の体験記②）

仲川さんの体験記はまだ続きがあります。

さらに、カットイメージで1冊の本を読み通す中で、彼女が体験した出来事です。

仲川里恵さんの体験記　後半

「慣れたら、読んだことのある1冊の小説をカットイメージで通し読みしてみるといい」と山崎先生がおっしゃったので、私は角田光代さんの『八日目の蝉』（中公文庫）を選びました。

数年前にとても熱中して読んだ記憶があり、カットイメージを知る以前なのに、いくつかの場面が心に焼きついているくらい印象的でした。テレビドラマや映画にもなったのは知っていますが、ほとんど観たことはありません。

文庫本のページにシャープペンで簡易式の横線だけを引き、平日の夜や休日に、数日かけてカットイメージで再読しました。

不倫相手の赤ん坊を衝動的に連れ去り、逃亡生活の中で子どもを育てていく主人公希和子の物語。

一度読んだはずなのに、カットイメージで読むと、細部が初めて読むように新鮮でした。主人公希和子の行動を外から観たり、その心情を内側から感じたりして、どんどん入り込んでいきます。

希和子の行動はもちろん犯罪で、決してしてはならないことなのですが、「薫」と名づけた子を愛し、少しでも長く一緒にいたいという思いに自然と共感し、追われる不安や緊迫した逃避行の場面では、ハラハラしながら「逃げ延びてほしい」と願っているのです。

そうした息詰まる場面を過ぎ、ひとときでも安心できる居場所を見つけて、薫と過ごす時間。読んでいる自分もホッと一息ついて、その幸せに浸ることができます。

そんな場面を読んでいたときです。突然、「これは、母と私の物語だ」という感覚が降りてきました。そう感じると、いろいろなことがつながり、腑に落ちる気がして、急に涙があふれてきました。

私の母は、私を産んで間もなく離婚し、一人で私を育ててくれました。離婚直後は地方にある実家に頼ったこともあったようですが、私には、母と二人で暮らしていた記憶しかありません。

もちろん母は、私を誘拐したわけではないはずです。でも、1人で子どもを抱えていく孤独と不安、助けてくれる人のありがたさ、子どもの存在が何よりも愛しくて心癒される時間、そうしたものが、小説の中の出来事であると同時に、私の母がしてきた体験そのものであるという実感が、胸に迫ってきたのです。

しばらくその感覚に身を任せ、泣いてしまうと、不思議な解放感が私を満たしていました。幼いころから母の苦労は知っていましたし、自分なりに感謝もしてきたつもりです。母に不満があったわけでもありません。でも、どこか私は寂しかったし、母に素直になれない自分がありました。

そうした長年のこだわりがすべて洗い流されて、私に注がれていた母の愛情を信じ、素直に感謝する気持ちが湧いてきたのです。

翌日からまたカットイメージで続きを読んでいきましたが、自分の思いを引きずることはなく、いっそうクリアに物語の世界を楽しむことができる感覚でした。

小説の後半は、誘拐された子どもが成人し、その立場から描かれるのですが、ほとんど初めて読むような気がしました。主人公に対しては、自分と重ね合わせて共感したり、客観的に見る感じになったりしましたが、やはり物語を純粋に味わうことができたと思います。

小説と母とが重なったことについて、あとで山崎先生にお話したら、「それはとても貴重な体験でしたね。大切な記憶になりますね」と受けとめていただき、とても安心しました。それで、こうして文章にまとめてみました。

母との関係はその後も以前と変わりませんが、自分自身の生き方が楽になった気がします。

また、今まで、自分自身が結婚して家庭を持つことについて、避けているつもりはないのですが、想像できないような不透明感がありました。それが、やはり視界がクリアになって、「ご縁があればそれもありかな」と、自然に考えられるようになりました。

読書によって心が癒されるとか、読書が生きる糧になるとか、以前はあまりピンときませんでしたが、そういうことは確かにあると私自身の体験から言えます。

これからもカットイメージを活用して、いろいろな小説を読んでいきたいと思います。

1冊の本の中にどんな豊かな世界が待っているのか、毎回、本を開くたびにワクワクしています。

私自身も学べることが非常に多い体験記です。

かなり個人的な部分に触れる内容でしたが、仲川さんには、掲載を快諾していただいたことに感謝します。

この体験記を読んで一つ疑問だったのは、『八日目の蝉』を初めて読んだときにお母様のことを思い出さなかったのか、ということです。

それをご本人に尋ねてみると、「まったく思い出さなかったかというと嘘になるが、そのときは主人公と母に重なる部分があるかもしれないと頭で考えただけだった」とおっしゃっていました。

つまり、**頭で考えることと腹の底からそう感じることは、体験の質がまったく違う**のです。カットイメージで深く読み進む中で、彼女の奥深い内面の記憶が少しずつ揺り起こされ、やがてそれが臨界点を超えてあふれ出たのだ思います。

「母に不満があったわけでもありません。でも、どこか私は寂しかった」という彼女の思い。

それは、母に不満はなく、苦労して育ててくれた感謝を感じればこそ、言ってはならない、認めてはならないものだったのでしょう。だから、彼女の心の奥底にしまわれていて、彼女自身も気づかないまま長い間過ぎてきたのです。

でも、『八日目の蝉』の主人公の姿が、孤独と不安の中で幼い自分に一心に愛情を注いでくれた母の姿に重なったとき、仲川さんは母親の愛を確信し、心底から安心できて、ずっと抱えていた寂しさが癒されたのだと思います。

だから、母との関係は変わらなくとも、「自分自身の生き方が楽になった気がします」と言うのです。

さらに、「結婚して家庭を持つ」ことについて、なぜか存在していた心のバリアのようなものが消え、「ご縁があればそれもありかな」とのことばを読んだときは、私自身とてもうれしく、彼女の将来に幸あれと、内心密かにエールを送りました。


イメージは、私たちの膨大な知識・経験の蓄積の中から生まれてきます。だから**小説を読むことは、作品を通して自分自身の内面に気づきを深めるプロセス**でもあります。

また一方、小説の本の中に眠っているのは、作家が自分自身の持てる知識・経験と想像力を駆使して構築した仮想世界です。

その本を手に取った私たちは、自分の中に持っているものをフルに使ってその世界を自分の中に再生しようとします。それが「小説を読む」という営みです。**そこには、他にかけがえのない、作家と自分との一期一会の「出会い」があるのです。**

あなたとその作品との出会いをよりよいものにするために、カットイメージ・リーディングがお役に立てれば、これに勝る喜びはありません。

あとがき

カットイメージは読書の楽しみをすべての人に

第一章で書いたように、現代の私たちは、手軽に観たい映像を観ることができ、苦労して小説を読むスキルは低下する一方です。

小説を読む楽しさを知っている人ですらそうです。

でも、どうしたらいいのでしょう。

「スマホをやめて、本を読もう!」と呼びかけるべきなのでしょうか。

私は逆だと思います。スマホを持つ現代人こそ、読書をより豊かに楽しむことができる。映像に囲まれた私たちだからこそ、イメージ鮮やかに小説を読むことができるのだと思います。

ここまでカットイメージを体験してきたあなたには、もうおわかりですね。

小説を読んでいて、サルバドール・ダリの『記憶の固執』ってどんな絵?「カッパドキア」ってどんな場所？　と疑問に思ったら、画像検索して写真を見ることで、リアルにイメージできます。

インターネットのない時代には、図書館へ行って重い図鑑を引っ張り出さなければなりませんでした。

私たちは昔の読者より、リアルなイメージを描く材料に事欠かないのです。

また、映画、ドラマなどのさまざまな映像を観てきた経験から、人物の表情を捉えるアングルや、迫力ある空撮、過去と現在とのオーバーラップ、幻想的なシーンの撮り方など、効果的な映像表現のしかたをたくさん知っています。

それらの知識を活用して、小説に描かれた世界を自在にイメージ化していくことができるのです。

それは、映像のなかった時代の人々の比ではありません。

インターネットと多くの映像に囲まれた現代人こそ、イメージ豊かに読書を楽しむことができるのです。

その恩恵を存分に活用して、実際に豊かな読書を実現するために役立つのが、カットイメージ・リーディングです。

だからこそ、映像文化と読書文化の不幸な対立を解消する有効な切り札であると、私は考えています。カットイメージがあれば、両文化が共存し、ともに発展していく道がはっきりと見えるのです。

私が高校の授業でカットイメージを教えると、生徒たちは「自分の趣味が勉強に活かされてうれしい！　「アニメ好きでよかった！」と、大喜びします。

アニメが大好きな彼らに、「アニメを観るより本を読め」と言う必要はありません。「もっとアニメを観よう！　もっと小説を読もう！　相乗作用で楽しくなるぞ！」と言えるのです。

都民向け公開講座などでそうした生徒たちの話をすると、シニア世代からは、若い世代の柔らかい頭が羨ましい、という声が聞かれます。

しかし、それは思い違いです。豊かなイメージを楽しむ源泉は、なんといっても実体験です。いくら子どもたちの脳みそが柔軟でも、生きてきた年月、してきた体験の厚みは、シニア世代にかないません。

小説は、年齢を重ねてから再読すると、また違った楽しみ、気づきがあるといわれるのは、そのためです。

とくにカットイメージを使うと、自分自身の人生経験からさまざまなイメージが出てくることにも気づけるし、小説の味わいも深くなります。

年代間に優劣があるのではなくて、読書は、その年齢ならではの楽しみ方ができるのです。

どの年代もその年代なりに、どの人もその人なりに、自分の持っているものをフルに活かして、読書を楽しむことができる。

それが、カットイメージの真骨頂だと、私は考えています。

カットイメージを活用して、ぜひ、あなたなりの読書の楽しみを再発見していただければと思います。

＊＊＊＊＊＊＊＊＊＊＊＊＊＊＊＊＊＊＊＊＊＊＊＊＊＊＊＊＊＊

私の頭にカットイメージのアイデアがひらめいてから、この本がこうして出版の形となるまでには、途方もなく長い年月が過ぎてしまいました。

その間、授業や講座でカットイメージに取り組んでくれたたくさんの生徒や受講生の皆さんのおかげで、ここまで来ることができました。

国語の先生方や心理学研究の先生方の中でも、少なからぬ理解者、支援者を得たことは、私の財産です。

そして、とりわけ、3人の方には、格別のお世話になりました。

イメージを活用した教育実践・研究の先駆者であり、私の瞑想の話に耳を傾け、発表の道を開いて下さった、『授業が変わる　学習が変わる』（東洋館出版社）の著者辰野弘宣先生。

先生との交流なくしては、カットイメージのアイデアは生まれませんでした。

カットイメージをテーマにした修士論文の執筆に温かなご指導をいただき、口頭試問で「この研究を世に広める作戦会議にしよう」と勇気づけてくれた、東京学芸大学名誉教授河野義章先生。

カットイメージの本を出すという、先生とのお約束をようやく果たすことができました。

心理学の知見を国語の授業に活かすという同じ志を持ち、カットイメージの価値を早くから認めてくれた、都立高校教諭の藤井ゆき先生。

その後、研修会やセミナーを広く展開できたのは、先生がさまざまな発表の機会を作り、熱心に後押しをしてくださったおかげです。


このお三方には、とりわけお礼を申し上げ、この書を捧げたいと思います。


最後になりましたが、出版にあたり次の皆様にはたいへんお世話になりました。

企画書の段階から厳しくも温かいご支援をいただいた、Ｊディスカヴァーの城村典子さん。

この企画の価値を理解し、採用してくださった、みらいパブリッシングの松崎義行社長、安藝哲夫編集長。

注文の多い著者に根気よくつきあってくださった、編集の道倉重寿さんはじめスタッフの皆様。

何度も書き直しに応じて素敵なイラストを描いてくださった山口クミコさん。

ほんとうにありがとうございました。

山崎茂雄

【参考文献】

江戸川乱歩　江戸川乱歩傑作選　新潮文庫

内海隆一郎　街の眺め　毎日新聞社

小川洋子　凍りついた香り　幻冬舎文庫

宮下奈都　羊と鋼の森　文春文庫

百田尚樹　海賊と呼ばれた男（上・下）　講談社文庫

ヘルマンヘッセ（高橋健二訳）　シッダールタ　新潮文庫

又吉直樹　火花　　文春文庫

角田光代　八日目の蝉　中公文庫

東百道　朗読の理論　木鶏社

山崎啓支　願いがかなうＮＬＰ　サンマーク出版

田嶌誠一　イメージ体験の心理学　講談社現代新書

成瀬悟策　自己コントロール　講談社現代新書

門前進　イメージ自己体験法　誠信書房

医療情報科学研究所　病気が見える VOL 7　脳・神経　第 2 版　メディックメディア

川喜田二郎　ＫＪ法～混沌をして語らしめる　中央公論社

山崎茂雄　「カットイメージ読解法」による物語構造理解の促進　読書科学 56 巻第 2 号　2015 日本読書学会

山崎茂雄　「カットイメージ読解法の研究（８）～都民向け公開講座受講者による体験報告のＫＪ法整理　日本教育心理学会第 60 回総会発表論文集 2018

ホームページのご紹介

教育エジソン（https://www.ed-ed.net/）では、教育と自己啓発に役立つイメージ・心理学・学習法のさまざまなアイデアを無料公開しています。ぜひご覧ください。

こちらの QR コードからどうぞ↑

教育方法の発明家 教育エジソン

教育と自己啓発に役立つイメージ・心理学・学習法のアイデア

Home ｜ カットイメージ ｜ キャリア教育/グループワーク ｜ 学習スキル ｜ 国語授業 ｜ 瞑想・イメージ ｜ バードアイ ｜ More

- Home
- カットイメージ
- キャリア教育/グループワーク
- 学習スキル
- 国語授業
- 瞑想・イメージ
- バードアイ
- セミナー・研修会
- お問合せ | Education-edison
- Blog | Education-edison

教育方法の発明家　教育エジソンのサイトへようこそ

ここでは教育エジソンが定時制高校、全日制高校、チャレンジスクール（昼夜間定時制）などのさまざまな現場経験と心理学的知見から開発したオリジナルの教材、学習・教育に役立つさまざまなヒントをお伝えします。

とりわけ、“映画を観ているみたいに小説が読める”「カットイメージ・リーディング」についての情報や講座案内などを随時、発信していきます。

また、ブログでは、日本教育新聞に半年に渡り連載したチャレンジスクールでの取組み（特色ある科目開発の方法論）、イメージを活用したさまざまな実践体験を１５年以上書き続けた「私流 イメージ瞑想的生き方」のシリーズを掲載しています。

教育エジソン
（山崎 茂雄）

Profile

公立高校教諭（国語）。

学校心理士スーパーバイザー、上級教育カウンセラー、
ガイダンスカウンセラー。

心理学を活用して、生徒の気づきと自己成長を促す教育方法の開発・実践に取組む。

チャレンジスクールと呼ばれる昼夜間定時制高校で、人間関係スキル、学習スキルを学ぶ独自科目「コーピング」の開発・実践を主導した。さらに、キャリア教育３年間プログラムの作成・実践にも取り組んだ。その中には、生徒の自他肯定感を高め、学び合いを促すアイデアを豊富に取り入れた。これらの実践が全国の高校関係者の注目を集め、毎年、各地で研修会講師として招かれている。

読者プレゼントのお知らせ

本書をお読みいただいたあなたへ　感謝を込めたプレゼントです。

① 芥川龍之介『羅生門』のカットイメージ・ワークシート
② カットイメージで『羅生門』を読む授業の実践論文

ワークシートは、著者が実際に国語の授業で使用しているものですが、書き込んで作業すれば、1人でもカットイメージによる深読みを体験していただくことができます。

家族や友人同士で作業して話し合うのも楽しいと思います。

また、論文には、ワークシートの記入例や詳しい解説があります。

〈プレゼント請求の方法〉

下記のアドレスあてに、ご氏名と本書のご感想を書いてメールをお送りください。

件名は、「読者プレゼント希望」と書いてください。

折り返し、プレゼントがダウンロードできるページのURLをお送りします。

eigawomiteiru@gmail.com

なお、いただいたメールアドレスあてに、セミナーの案内等をお送りさせていただくことがありますので、あらかじめご了承ください。

お名前、アドレスは厳重に管理し、教育エジソン（山崎茂雄）からのお知らせにのみ使用します。

また、このアドレスにお問い合せ、質問をされても、ご回答はできませんので、ご了承ください。

山崎茂雄

公立高校国語科教諭

早稲田大学第一文学部文芸科卒。東京学芸大学大学院（教育心理学）修了。

資格；学校心理士スーパーバイザー　上級教育カウンセラー　他

苦手が多く劣等感の強い少年時代を送り、「自律訓練法」と出会う。

大学を卒業後、小説家への腰掛けとして高校教員になり、初任の工業高校定時制で学級崩壊を招く。生き方の甘さを痛感し、自律訓練法による独自のイメージ瞑想を本気で継続した結果、深い気づきを経験して、ポジティブな教師に変貌する。

以来、心理学などを活用して生徒たちが「やったらできた」と実感できる学習方法を試行錯誤し、「カットイメージ®」を初めさまざまな方法論を開発。大学院の心理学研究室で「カットイメージ®」の効果を実証研究したのち、高校の授業で実践を深め、学会・研究会で発表を重ねる。全国レベルの教員研修会などでも、「ここまで深く読んだことはなかった」「目からウロコだ」と好評を得ている。

都民向け公開講座では、シニア層を中心に「脳が活性化する」「もっと小説が読みたくなる」「話し合いが楽しい」との声が多く、個人でもセミナーを開催し、成人への普及に努める。

個人サイト；教育エジソン　https://www.ed-ed.net/

映画《えいが》を観《み》ているみたいに小説《しょうせつ》が読《よ》める

超簡単《ちょうかんたん》！ イメージ読書術《どくしょじゅつ》

2020年2月29日　初版第1刷

著　者――山崎茂雄《やまざきしげお》
発行人――松崎義行
発　行――みらいパブリッシング
〒166-0003 東京都杉並区高円寺南4-26-12 福丸ビル6F
TEL 03-5913-8611　FAX 03-5913-8011
企画協力　Jディスカヴァー
編集　道倉重寿
カバー・本文　イラスト　山口クミコ
カバーデザイン　大谷朝美
ブックデザイン　堀川さゆり

発　売――星雲社（共同出版社・流通責任出版社）
〒112-0005 東京都文京区水道1-3-30
TEL 03-3868-3275　FAX 03-3868-6588

印刷・製本―株式会社上野印刷所

ISBN978-4-434-26819-9 C0030